——爱因斯坦

图书在版编目（CIP）数据

24小时揭秘我的世界 /（英）达拉·奥·布莱恩,（英）萨利·摩根著；（英）丹·布拉莫尔绘；区茵婷译．— 北京：北京理工大学出版社，2020.9(2021.1重印)
（时空里的科学秘密）
书名原文：Secret science:the amazing world beyond your eyes
ISBN 978-7-5682-8637-4

Ⅰ．①2… Ⅱ．①达… ②萨… ③丹… ④区… Ⅲ．①科学知识－儿童读物 Ⅳ．①Z228.1

中国版本图书馆CIP数据核字（2020）第112999号

北京市版权局著作权合同登记号 图字：01-2020-2184

出版发行 / 北京理工大学出版社有限责任公司
社　　址 / 北京市海淀区中关村南大街5号
邮　　编 / 100081
电　　话 /（010）68944515（童书出版中心）
网　　址 / http://www.bitpress.com.cn
经　　销 / 全国各地新华书店
印　　刷 / 三河市华骏印务包装有限公司
开　　本 / 880毫米×1230毫米　1/32
印　　张 / 9.5
字　　数 / 150千字
版　　次 / 2020年9月第1版　2021年1月第2次印刷
定　　价 / 88.00元

责任编辑 / 梁铜华
文案编辑 / 杜　枝
责任校对 / 刘亚男
责任印制 / 王美丽

图书出现印装质量问题，请拨打售后热线，本社负责调换

24小时揭秘我的世界

[英]达拉·奥·布莱恩，[英]萨利·摩根 著
[英]丹·布拉莫尔 绘
区茵婷 译

北京理工大学出版社
BEIJING INSTITUTE OF TECHNOLOGY PRESS

此书献给都柏林大学自然科学院，它一定会为我还记得如此多的知识点而惊讶。

目录

欢迎来到唯你专属的神奇世界！

我知道你在干什么。你**环顾**房间一周，心里在想，这儿没什么特别的呀，不就只有我一个人，坐在椅子上或躺在床上嘛。哪有什么神奇的事情？

ZZZZZZ

当然有！神奇的事情每时每刻在你身边发生，只不过你看不见而已！

来，让我告诉你吧……

一只手拿着**书**，另一只手**从上往下挥**。这只不过是一个简单的动作，但在挥手的瞬间，你搅动了无声无息绕着我们运动的数百万个**气体分子**。

用力在空气中挥手，你会扇出风；而用力在水面上挥手，你会扇出波纹。

再加大力度，甚至可以扇出声波，让你的耳膜产生**震动**，这样大脑就会知道有“**声音**”了。

如果拿一块**磁铁**挥动，那么带电的一切，哪怕是最细小的颗粒，都会有所感知，因为你改变了包裹着我们的电的海洋。看到的图像、接听到的电话、收听到的电台，甚至煮饭，靠的都是这片电的海洋。

现在，再看看你的手。你眼前的可不仅是自己的身体部位，那上面还有3000多个其他生命体呢。它们是体积最细小、结构最简单的生命体，有些是安全的，有些则是**危险**的，但它们每时每刻都与我们在一起。

看看你手上的血管，正向你的全身输送着血液，向你身体的各部分器官输送着能量，还携带着提示睡眠、吃饭和注意危险的信息。

鸭子的事，我稍后会说到的，不要心急。

手这么轻轻一挥，就会发生这么多**神奇**的事，更别说鸭子在烤面包片时发挥的作用了，那可是重头戏！

我想告诉你，**从早到晚**在你身边发生的**神奇**事情。从你早上睁开眼睛的那一刻起，到进入**梦乡**，你徜徉在一个神奇的宇宙里，那里有力、荷尔蒙、细菌、电子、味道和脑细胞，它们进行着无数次的**加加减减**（而且还很“**相亲相爱**”呢）。

别急，稍后我统统都会跟你说的。

我真的很想把一切都告诉你，让你知道，你的世界有多么神奇，每时每刻发生着多少奇妙的事情，而你却丝毫没有**察觉**。

首先，我要给你提个醒，赋予你一个**特权**，也向你许下一个承诺。

这本书的内容非常跳跃，经常会从一个有趣的话题跳到另一个有趣的话题。

我会告诉你，以史前鱼类做**燃料**而引起的无数小爆炸是怎么把你送到学校去的。

我会告诉你，大脑是如何时刻提防着老虎偷袭、期待着宠物抱抱你，或者准备随时在游戏里捡个金币让角色升级的。

我会告诉你，为什么波浪的运动方式和**鲨鱼**不同，为什么你不能像**长颈鹿**那样睡觉。

我会教给你一些冗长的复杂词汇，比如，翼腭神经节疼痛，也称为“冰激凌头痛”或“**大脑冻结**”。当你了解这种疼痛的原因后，有时却依然明知故犯。

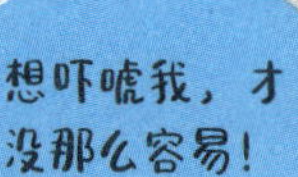

我还会告诉你，宇航员是怎么**洗澡**的，为什么你可能在实验室里找到一头奶牛，以及为什么有时候你**睡得越多**，反而觉得越困。

我有很多很多的事情想要告诉你，但——不得不提的是，没准你对我说的并不感兴趣。

老实说，有些事情甚至有可能会让你觉得很无聊。

在这个时候，你就可以动用**特权**了：直接跳过。如果读了一点点，你发现不对胃口，那么就直接跳过去吧。

你不想知道电子是怎么迸发出五彩斑斓的色彩的？没关系，说不定你想知道这个：当**眼睛**看到的和**耳朵**听到的不一致的时候会怎样——你会**呕吐**。

一块没电的**电池**是一块**开心**的电池。你不想知道为什么吗？行，我们来做个和吃**巧克力**有关的实验怎么样？

我就猜到你们都想做那个让你们可以名正言顺地大口吃巧克力的实验。跟你说，现在我自己就想再做一次这个实验。

你瞧，谁都会有自己**感兴趣**的和不感兴趣的东西，所以……不感兴趣就直接翻篇！

反正我既不会给你随堂小测，也不会给你布置功课。相反，在书的最后，我还会告诉你，为什么我完全支持你们"不感兴趣就不看"，而这么做其实本身就相当有趣呢。

这就是我给你的承诺。我在书的最后会给你一个解释的，只需要翻着看你想看的，一直翻到最后就行了。怎么样？

我们要做的事情很多，而每天只有**24小时**，所以，准备好了没？废话我们就不多说了……

现在，马上切入正题吧！

zzzzZ

哇！好兴奋！开始吧！

嗯~

我已经准备好和你一起展开我们奇妙的一天了。可是你好像还没睡醒啊。

你看看你，身上那套睡衣上又有星球，又有独角兽，还有骑着自行车的猪，被子都被你踢掉一半了，一副狼狈的睡相。

不是吧？你居然不知道自己睡着的样子看起来有多傻？

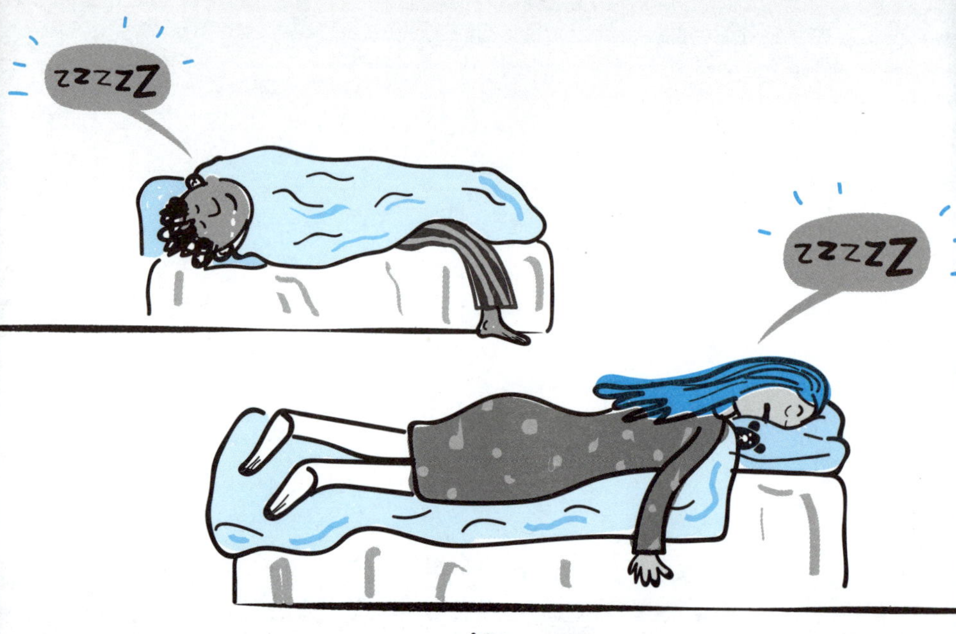

过了午夜，我们神奇的一天就开始了，但看来我还得再等7个小时zzZ你才会醒。我们为什么要睡觉呢？爸爸妈妈不是常跟你说，要珍惜每一分每一秒吗？可是，你每天都得浪费一段宝贵的时间，9个、10个，甚至11个小时，昏睡不醒，毫无作为。

为什么要这样？

人类每天的基本行为，大部分都有清晰而明确的意义。例如，我们知道为什么要吃、喝、拉、撒，可至于睡，意义就不太明确了。对于大部分动物（包括人类，在我们懂得怎样修建坚固的房子以便进屋睡觉之前）来说，**睡觉都是拿命来赌的行为。**

任何闭上眼睛躺下，呼呼大睡8小时的动物，对于有着**尖牙利爪**，并且**体型庞大**，又**饥肠辘辘**（gu..lu..）的捕猎者来说，都是一顿不费吹灰之力就能到嘴的美餐。因为睡觉是如此冒险的行为，所以我们一直认为，生活在非洲大草原上的长颈鹿，每次

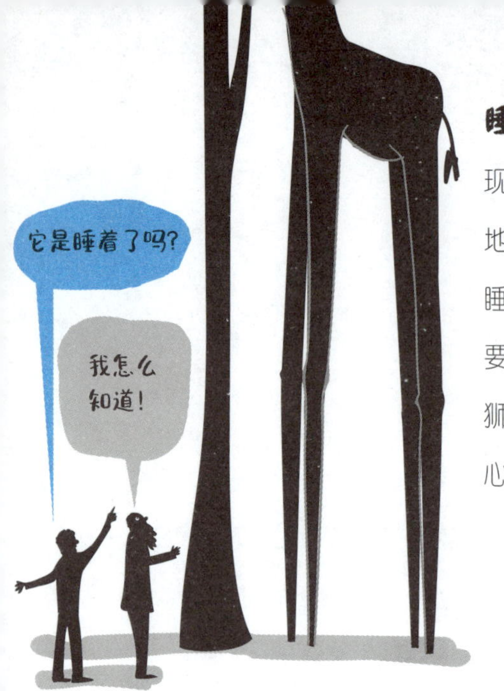

睡觉只能浅眠，甚至直到现在，科学家也还没能百分百地确认它们到底有没有彻底熟睡的时候！不过话说回来，要是知道身边有饥肠辘辘的狮群对你虎视眈眈，谁又敢放心安稳地呼呼大睡呢？

狮子是非洲大草原上的狩猎者，所以它们可以舒心大胆地睡个够。狮子每天睡15—20个小时，要是它们吃饱了，则可能会睡上更长时间。就算你家的猫，每天也能睡大约16个小时。狮子睡得这么充足，说不定是为了养精蓄锐，晚上好溜出去捕猎长颈鹿呢。

谁借我们一把梯子……

那么，睡眠到底为什么如此重要，让动物不惜搭上**性命**也要睡上一觉？来，咱们先看看他们的表情：

科学家们也解释不清关于睡眠的**谜团**。

感谢科学发展，有些事情我们是可以**确定**的，例如，木星的几颗卫星**距离地球有多远**和**原子**的内部运动规律，但浩瀚的宇宙中还有很多事情我们没能完全确定，所以你会看到科学家们那副一头雾水的**表情**。你或许觉得这有些丧气，但其实**这是好事！**如果什么都知道了，那么就没什么再值得我们去研究的了，科学家就只能整天无所事事、闷闷不乐地待着了。

这就意味着，还有好多未解之谜等待你去探索。我觉得你已经完成了第一个睡眠小实验了，实验名称就叫：“睡不够的感觉如何？”

答案：像行尸走肉。

睡眠不足的危害远远不止于此……

1964年，一名来自美国的17岁勇敢（或者说是莽撞）少年——兰迪·加德纳，在学校开展的一项科学实验项目中，撑了11天不睡觉。兰迪说，**刚开始那几天感觉还挺好玩的，但第四天开始就变得煎熬了。他开始出现幻觉，想象着并未发生的事情，甚至一度坚信自己是一个美国足球明星。第六天快结束时，他已经变得口齿不清、没法好好说话了。**

兰迪撑过来了，但从此，吉尼斯世界纪录不再接受任何人对“不眠记录”的挑战，因为这么做实在太危险了。

我们看看在小鼠身上进行的实验吧，如果剥夺实验鼠的睡眠，那么它们的身体状况会变得非常糟糕，爪子和尾巴都会产生溃疡。获得充分休息的实验鼠寿命差不多是三年，而被剥夺睡眠的三周便魂归西天了。

所以，我们是一定需要**睡眠**的。那么我们睡着的时候到底发生了什么事呢？

睡着后有什么好说的？那当然是关于我们的**大脑**了。就算一整天你连手指头都懒得动一下（到了**圣诞节**，躺在沙发上捧着零食边吃边看电视剧过一整天），到了**该睡觉的时候**你还是会**犯困**，也就是说，累的是你的大脑，而不是你的身体。那我们怎样才能知道大脑到底在干什么呢？

了不起的脑电波

大脑由数以亿计的神经细胞组成，因此，神经细胞又被称为神经元，它们之间通过发送电脉冲进行沟通，从而执行大脑下令要完成的一切任务：维持你的呼吸，消化你吃进肚子的食物，保证你安全地走下楼梯。当妈妈问“你把外套放哪儿了”的时候，大脑可以帮助你记得自己把外套扔哪儿了。

幸运的是，如果想要测量这些持续迸裂的电流活动，即所谓的脑波，那么我们并不需要剖开谁的脑壳去查看。科学家可以监测脑波的活动规律，了解大脑什么时候最活跃，以及大脑不同的运作方式。

睡眠研究

经过了一天的**高强度工作**（找了半天外套等），你以为神经元在你睡觉的时候也能趁机歇一歇吗（其实在晚上，它们也得一刻不停地发送信号）？你以为我们每天就是累了一睡觉一睡够了起床的重复这么简单吗？其实睡觉比你以为的要复杂得多。

睡眠分**四**个不同阶段，**贯穿整个夜晚**，**循环反复**。每个阶段，身体和大脑都各有所忙，当你从不同阶段的睡眠中醒来时，感觉是大不相同的。

在入睡阶段，你会**逐渐**进入睡眠状态，但很容易就能醒过来。肌肉有时候会轻微**抽搐**，即**肌痉挛**，比如，腿突然抽动一下，科学家把这种抽动称为“**入睡抽动**”。

或许你会觉得从**抽搐**中**惊醒**很讨厌，不过，关于“入睡抽动”，有一个说法是，这种现象是远古时代的祖先留在我们身体里的一种记忆——猿猴睡在树上，身体抽搐能确保他们不会睡得**太熟**以致从树上摔下去。这其实算不上是通过严肃的**科学实验**得出的结论。尽管这不是真的，但我也想告诉大家有这回事，因为这真的很**神奇**。注意了：尽管现在有上下铺的双层床很安全，但若是睡在上铺，你就会出现“**入睡抽动**”。

人在零重力状态下也会出现入睡抽动。**国际空间站**是在近地轨道上绕地球飞行的空间平台，在“微重力”状态下，宇航员为了防止睡着后身体不受控制到处乱飞，他们会用尼龙搭扣把**睡袋挂墙上**，钻进睡袋里睡觉。尽管他们持续“下落”，方圆不知道多少千米内也看不到一棵树，但还是有宇航员说，睡觉时身体会出现“入睡抽动”。

这一阶段大约持续10分钟。

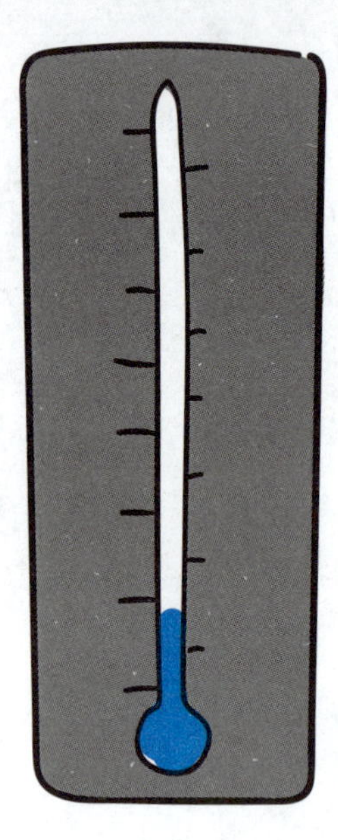

这时你的眼球停止转动，脑波运动频率降低，肌肉逐渐放松，体温骤降。如果在这个阶段被叫醒，从床上爬起来开始新的一天，那么你可能会有些不情愿，但并不会感觉太痛苦。

这一阶段大约持续20分钟。

这一阶段，神经元运动减弱。这时，就算有人在你耳边敲锣打鼓，你也很可能连动都不会动一下。如果在这个阶段被叫醒，你可能会感到极不舒适，甚至会暴怒。你会说梦话，但这也不是坏事：

在熟睡阶段，你的身体能随心所欲地做各种它该做的事，比如，开始修复肌肉，以及释放生长激素。

第四阶段：快速眼动睡眠阶段与做梦

这一阶段大约持续1小时。

这是个非常奇妙的阶段，称为**快速眼动睡眠阶段**（Rapid Eye Movement，REM），你通过名称可能就直接猜出来命名原因了：这是我们做梦的阶段。因为在快速眼动睡眠阶段，你的思维相当活跃，但身体却无法动弹，或者可以说，身体陷入瘫痪状态中。这是好事，因为在做梦的时候，瘫痪状态禁止你的身体在没有意识的情况下随意乱动。实际上，据脑波图显示，这一阶段的**脑波运动**与你在白天清醒时的脑波运动非常接近，差别只在于，做梦时，你的身体无法动弹而已。

科学家认为，大脑会赶在这段时间内把白天没做完的事做完；把该学的学了，整理记忆。如果将大脑比喻成一台电脑，那么此时它的任务是将“硬盘”里的文件整理好，确保所有文件都有安全存档备份，以便将来有用的时候能**随时调档**。大脑忙着各种收拾整理，或许这也是你会在这一睡眠阶段做梦的原因。实验鼠和实验狗也同样会在睡眠阶段做梦，但它们从来不会梦到对方（这只是个玩笑，我们才不知道它们会梦到什么呢。说不定它们会经常梦到变成了对方呢）。

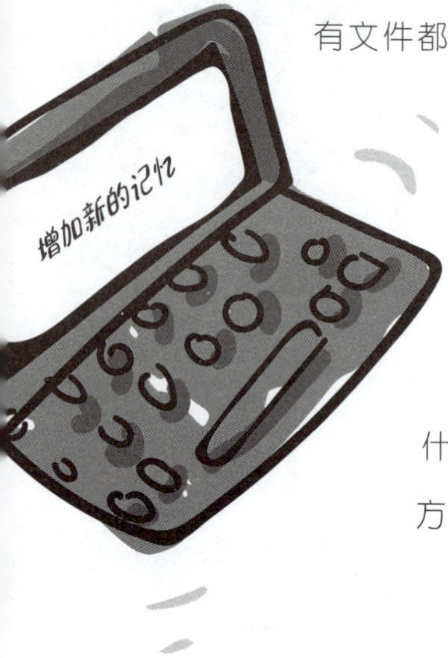

增加新的记忆

每个周期的快速眼动睡眠阶段持续时间约90分钟。一整晚的睡眠过程中，你经历的快速眼动睡眠阶段多达6次。

梦的解析，绝对是让科学家皱眉头的事情之一：

team A

西格蒙德·弗洛伊德是著名的神经学家和心理学家。他认为，梦是了解人类潜藏欲望、想法和动机的秘匙。研究人的梦，便能了解他们的行为模式，而

team B

其他科学家则认为，再怪诞的梦，也只不过是一种生物过程，是生命中正常而又随机的一种行为，跟听人们打嗝没什么区别，并不能为了解一个人的行为习惯带来多大帮助。

为什么睡着之后我们会翻来覆去呢？

这并不是因为我们在做梦。人的身体是很聪明的，懂得不要让你在做梦的时候乱动。因为万一你梦见自己要从棉花糖制成的小筏上往冰激凌海里跳，你就可能直接摔下床了。不过，我们睡觉过程中的动作还真不少，所以早上醒来时，你会发现被子被你弄得乱七八糟。

科学家认为，人们在睡觉过程中翻来覆去，是为了防止身体长时间保持同一个姿势。若长时间保持同一个姿势睡觉，则不利于全身血液流通，对身体不好。当你的身体过长时间处于同一个姿势时，皮肤里的痛觉感受器感受到有点像脚发麻时那种刺麻的感觉，

便会向大脑**发送信号**，提示你该换个舒服的姿势了。一动不动地睡一晚或许没什么大碍，但时间可别太长了。**医院**里久卧不动的病人，得靠别人帮他们不时地**翻转**身体，防止同一个部位长期受压迫，否则长期下来不但身体疼痛，还很

危险呢。

在国际太空站生活了6个月的宇航员克里斯·哈德菲尔德说，在太空船里他睡得可好了（就像刚才提到的，他是钻进特制的睡袋里睡的），但因为他并没有躺在任何东西上面，所以完全不需要翻身，导致每天早上醒来，身体都

感觉非常僵硬，关节咯吱作响，得做很多伸展运动来活络舒筋，但是不管怎样，人家睡觉的地方可是在

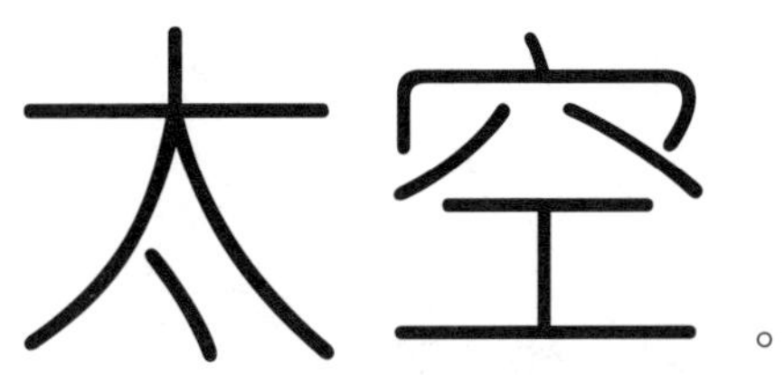

。

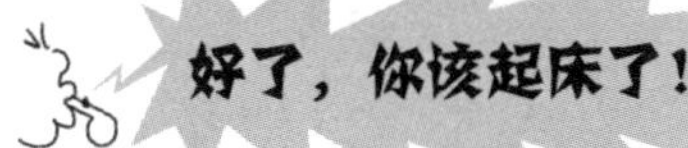

一天之计在于晨。一天的24小时都已经过了1/3了。且慢！你醒来的时候心情如何就取决于闹钟响的一刻，你是处在睡眠的哪一阶段了。

如果在快速眼动睡眠阶段醒来，你得花上好几秒才能从梦中的棉花糖小筏中回到现实世界，但让人抓狂的是，你的梦境将很快从记忆中抹去。面对这种状况，科学家又一脸茫然了：

至于为什么你会想不起来刚做过的梦，其中一个说法是，因为你做梦的时候，大脑正忙着其他正事。例如，“处理”前一天的长期记忆，所以梦里发生的，顶多也就只是一段短期记忆，没多久就被你忘了。要是做了可怕的噩梦，想不起来也未尝不是一件好事。

但要是你直接从**第三阶段**，即熟睡阶段醒过来，你绝对不可能觉得身心舒畅。相反，你整个人都会处于一种昏昏沉沉、动作迟缓的状态。这是由于大脑还没完全接收到你已经醒来的信息。

这种状态被称为“睡眠惯性”，对人体的影响就是放慢大脑的反应速度。你的反应速度会比平时慢（这时最好别开车），甚至抽象思维也会受到影响，例如算术能力会变差。不信的话，下一次醒来觉得还没完全清醒的时候，你可以做几道数学题，看看自己算对多少。如果觉得不好玩，那么还可以试试这么做：**趁着爸爸妈妈没睡醒，朝他们大声嚷嚷一些复杂的算术题，看他们能算对多少。**如果他们算错了（这个发生的可能性很大），那么你就能告诉他们，这是睡眠惯性造成的，然后，他们就会因为被你教育了一顿而感到欣喜若狂（这种事发生的可能性很小）。

糟了！要是在睡眠第三阶段醒过来，怎么办？

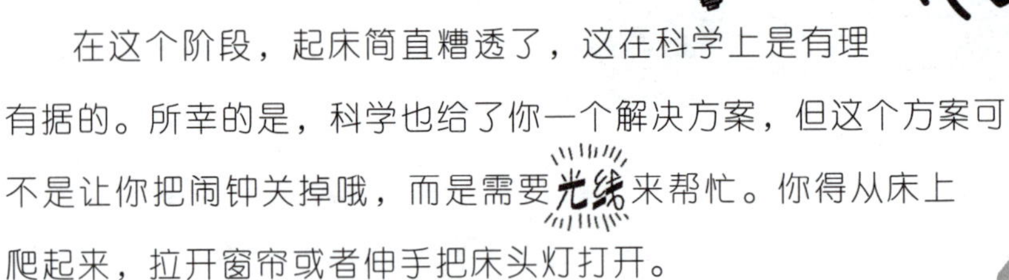

在这个阶段，起床简直糟透了，这在科学上是有理有据的。所幸的是，科学也给了你一个解决方案，但这个方案可不是让你把闹钟关掉哦，而是需要**光线**来帮忙。你得从床上爬起来，拉开窗帘或者伸手把床头灯打开。

在你的大脑里有一个**很厉害的装置**叫“视交叉上核”（Suprachiasmatic Nucieus，SCN），它位于大脑深处，即**眼球后面**。它通过控制一种叫褪黑激素的化学信使来控制你的睡眠周期。激素是身体产生的一种化学物质，用来开始或终止不同的生物进程。

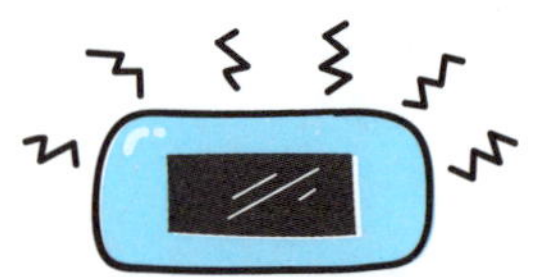

褪黑激素是朝你大脑下达睡觉指令的激素。当你起床拉开窗帘或打开灯时，就是在跟你的大脑说：“看！**太阳**出来了！天亮了！”然后，大脑就会停止分泌褪黑激素，于是你就能很快清醒了。

来吧，给你的视交叉上核来点光线，该起床干正事了！

新的一天开始啦！

站在镜子前照一下……**天啊！**这一头乱草是怎么回事？！

睡觉前明明不是这样子的，结果起床后发现头发乱蓬蓬的，一团糟，活像半夜里不知道什么怪兽爬进房间故意把你头发弄乱了似的。

其实，把你头发弄乱的，不是什么怪兽，而是一个很小的东西。几乎是我们所知道的最小的东西了。那个小东西，叫电子。它细小的身体藏着颗熊心豹子胆，都爬你头顶上去了！

你到底干了什么，把电子惹毛了？

话又说回来，电子是什么？

要认识电子，我们得从世间万物的组成说起。如果仔细观察身边的事物，那么就会发现，你的头发、椅子，朋友巴里家的泰迪熊玩具，所有的一切，都是由原子组成的。

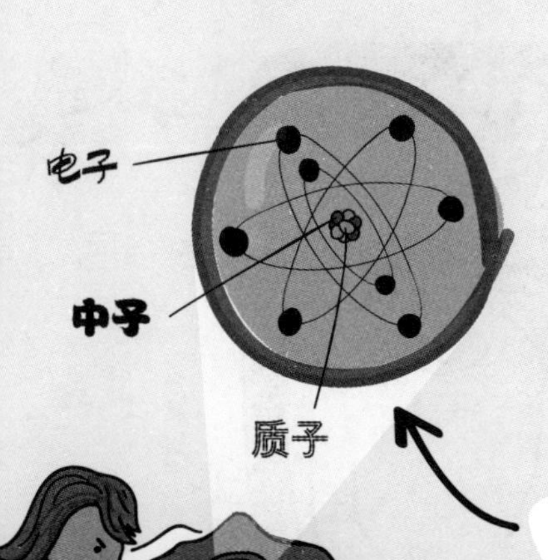

原子有很多种，它们的总称是元素。各种元素的性质各不相同。有的很轻，有的很重，有的是**金属**，有的是**气体**，等等。我们甚至还为元素整理了一个专门的表格，叫“**元素周期表**”。它就像一份动物园游园指南。

H 氢																	He 氦
Li 锂	Be 铍											B 硼	C 碳	N 氮	O 氧	F 氟	Ne 氖
Na 钠	Mg 镁											Al 铝	Si 硅	P 磷	S 硫	Cl 氯	Ar 氩
K 钾	Ca 钙	Sc 钪	Ti 钛	V 钒	Cr 铬	Mn 锰	Fe 铁	Co 钴	Ni 镍	Cu 铜	Zn 锌	Ga 镓	Ge 锗	As 砷	Se 硒	Br 溴	Kr 氪
Rb 铷	Sr 锶	Y 钇	Zr 锆	Nb 铌	Mo 钼	Tc 锝	Ru 钌	Rh 铑	Pd 钯	Ag 银	Cd 镉	In 铟	Sn 锡	Sb 锑	Te 碲	I 碘	Xe 氙
Cs 铯	Ba 钡		Hf 铪	Ta 钽	W 钨	Re 铼	Os 锇	Ir 铱	Pt 铂	Au 金	Hg 汞	Tl 铊	Pb 铅	Bi 铋	Po 钋	At 砹	Rn 氡
Fr 钫	Ra 镭		Rf 𬬻	Db 𬭊	Sg 𬭳	Bh 𬭛	Hs 𬭶	Mt 鿏	Ds 𫟼	Rg 𬬭							

La 镧	Ce 铈	Pr 镨	Nd 钕	Pm 钷	Sm 钐	Eu 铕	Gd 钆	Tb 铽	Dy 镝	Ho 钬	Er 铒	Tm 铥	Yb 镱	Lu 镥
Ac 锕	Th 钍	Pa 镤	U 铀	Np 镎	Pu 钚	Am 镅	Cm 锔	Bk 锫	Cf 锎	Es 锿	Fm 镄	Md 钔	No 锘	Lr 铹

有的元素可谓大名鼎鼎、众所周知了，如氢、金和汞，但大部分元素的名字听起来都有点蠢蠢的、怪怪的，如钫、铯和锎。

原子有时候是形单影只的，但它们也可以和其他原子一起组成“分子”。各种分子又会组成世界上各种各样的东西（包括芝士、狗牙、锡纸、地毯）。分子的官方名称一般带有这些词语：

乙烯聚合-丙烯聚合-氢化-氧化-酸化-醋酯-乙酸与乙酯酯化

上面这些并不是真正的分子名称，下面这些长长的、莫名其妙的名字才是：

二甲醚-苯甲酸-乙二酸-聚氯乙烯-异戊二烯-聚四氟乙烯

好吧，说实话，这也不是一个**完整**的分子名称（我即兴发挥的）。

如果有一天，有个大人看着**糖果**说：“这里面好多化学物质！”我允许你翻白眼。

所有东西都是由化学物质组成的。不管是对身体有益的，还是有害的。这些化学物质由分子组成，而分子又是由原子组成的。

现在我们又将话题落回到原子上：

所有的原子形状都**差不多**。原子核在中间，一片“云”包裹着原子核。原子核是质量中心，名为“质子”和“中子”的粒子就像是袋子里装着的一堆弹珠。这堆弹珠外面飘浮的是质量很轻的一群电子，即让你发型**“炸起”**的**“元凶”**。

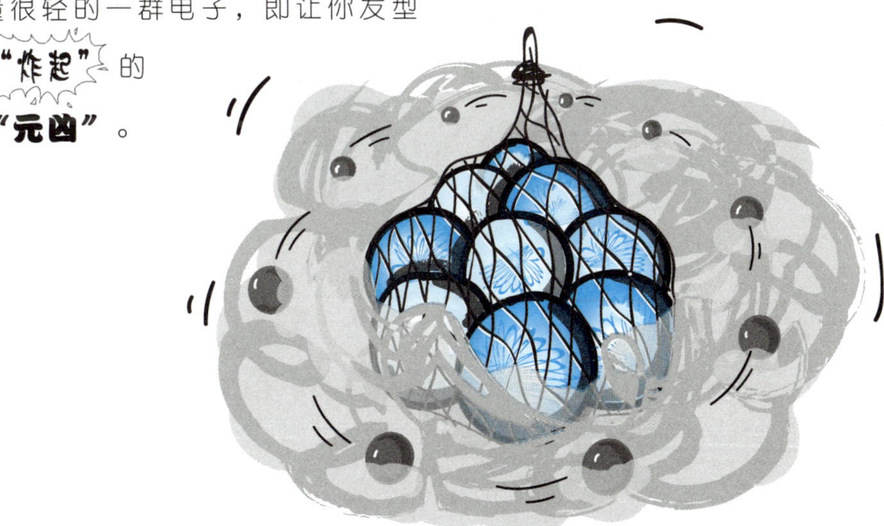

质子带正电，电子带负电，它们携带相反的电荷，正如磁石一样吸引在一起。大部分原子的正负电荷都能达到完美的平衡状态，质子和电子的数量相同，正负电荷正好相互抵消。

（我也不想把事情描述得太复杂，不过还是忍不住多说一句，虽然质子和中子已经如此微小，但它们是由更加细微的东西组成的，这种小东西叫“夸克”。暂时先说这么多，不再深究了好不？）

你的头发！我们都差点偏离正题了！说了这一堆，跟你的头发有什么关系吗？

它们各干各事的时候，组成头发的原子和构成枕头的原子都是乖宝宝。头发服服帖帖的，枕头也整整齐齐的。一切都那么和谐。这些原子正如我们刚说过的大部分原子，不带电，质子和电子处于完美的平衡状态。

到你躺在床上睡下，翻来覆去（这是为了防止身体过长时间维持同一个姿势，记得吗？）时，脑袋不断摩擦枕头。信不信由你，头发分子上的一些电子就被摩擦到枕头的分子上去了！有些物质，如头发，电子云里的电子，其实跟质子粘得不算紧，在其他物质上摩擦几下就能把它们蹭掉。

所以现在，你头发上的电子跑了，发丝上的电荷失去平衡。失去了带负电的电子，发丝带正电。这样，同样带正电的发丝之间开始相互往外推挤，而不是互相吸引。

就像这样……

所以早上发型乱了，是因为你自己把电子摩擦掉了！它们性格叛逆且身材娇小，不好控制。现在电子跑了，你的头发就一团糟喽！

你现在或许会想：等一下！既然我的头带正电，那枕头不就带负电了吗？因为电子肯定跑枕头那里去了，而正负电是相吸的！所以说到底，早上我的脑袋没法从枕头上抬起来是因为如此啊！

想得美。正负电荷之间的吸力是非常微弱的，只能让发丝相互排斥，才不会让你的脑袋粘到枕头上！拜托，下次找个好一点的借口吧。

你得起床梳梳头了，而且你闻起来也有点臭臭的，所以顺便洗个澡吧。

洗澡去

如果感觉脑袋还是昏昏沉沉的，那么没什么比洗一个痛快澡更提神的了，但我们先来问一个科学家会问的问题：

人真的需要洗澡吗？

先回答一个问题，你多久洗一次澡？这就得取决于你在地球上哪个地方生活了。有人做过研究，问了不少关于人们卫生习惯的问题，发现世界各地与洗澡相关的趣事还真不少！

比方说，**巴西**和**哥伦比亚**的居民洗澡的频率比世界上任何其他地方的人都要高，不少人每天洗澡不止一次。

在世界范围内，人们平均的洗澡频率是一周七次，但英国人的洗澡频率就低于平均值，一周五次。我听到你嫌弃的声音了：“呸！”你错了哦。因为大部分科学家都会认为，就算一周洗五次澡，也还是洗得太勤了。

除非你的床脏成泥泞的洞穴，否则每周其实你只需要洗一到两次澡。毕竟我们也没见过哪只动物去冲澡的！当然，猫除外。它们可以花上半天的时间给自己或给其他猫舔毛。还有，我们在动物世界里的近亲黑猩猩，它们也经常相互梳毛，从对方的毛发里拣出杂物。

太平洋中的鱼就不用担心这个问题了。那里有一种鱼，叫裂唇鱼，住进比它们体型大的鱼的嘴巴里，专吃人家牙缝里的寄生物和食物残渣，帮人家洗牙。

昨晚吃什么了？

主菜是裂唇鱼。

动物能通过各种方式进行清洁，不专门去洗澡也没什么。**那么人类为什么需要洗澡呢？**

怪就怪你的皮肤吧。

负责完成某种特定功能的身体部位叫作“器官”，比如，

和肺等。

皮肤是人体中面积最大的器官。它的任务不仅是防止重要的零件从身体里掉出来，还得阻止像**细菌**等各种有害的东西进入身体。照顾好你的皮肤很重要，但其实，皮肤本身也很懂得照顾自己。

如果凑近一点看，你会发现皮肤上有很多细小的洞洞，那些洞洞叫“毛孔”。皮肤会通过毛孔**分泌油脂**，这些油脂叫“皮脂”。皮脂形成一层防水膜覆盖在皮肤表面。

若皮肤上皮脂过多，则看起来和摸起来都是**腻腻的**，再加上汗水和死皮细胞为细菌提供了丰盛美食，让你闻起来——

臭臭的

很好……所以现在不但有看不见的电子弄乱你的**发型**，还有看不见的细菌让你浑身发臭……

看看你的皮肤上，有灰尘、墨水、食物残渣，还有带盐分的汗水，哇，你这是有多脏？不过还好，用水就能把这些冲走。至于皮脂，因为是防水的，所以这时我们就需要帮手了。想知道其中原理，我们再回头看看原子。

你可能知道水的化学名称叫什么，叫氧化氢，化学式是H_2O，因为水分子是由两个氢原子（H）和一个氧原子（O）组成的，所以它们通过共享电子的方式粘在一起，氢原子带正电，氧原子带负电。由于电荷分布不均匀，因此水分子是带有“极性”的，即，水分子的一边带负电，而另一边则带正电。

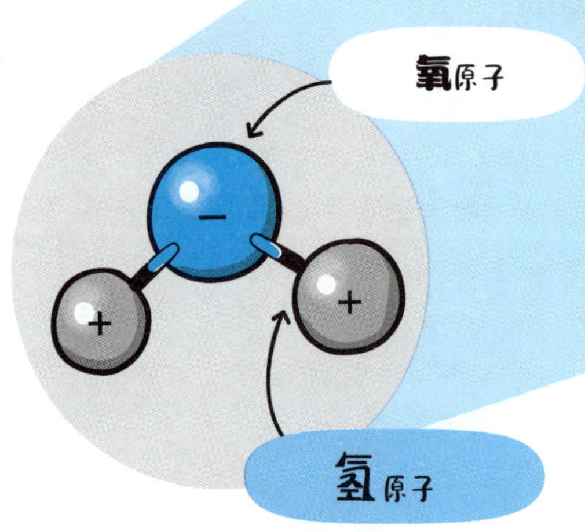

分子带正电的一极喜欢贴着另一个分子带负电的一极。即，当大量水分子聚集在一起的时候，比如，在一滴水里，分子间的正负极会跟自己不一样的极贴一起。

这不是我想表述的

皮脂，还有其他油脂，都不带极性。它们没有正负极，也不想和水粘在一起。水对它们完全没有吸引力。盛过香肠的盘子和企鹅的皮毛一样，都是又油又腻的，如果把水倒上去，水只会滑落下来。你不妨试试看。但你得找到煎好的香肠，或者找只企鹅，请它吃根香肠，交个朋友。下一步，就轮到肥皂登场了。

肥皂是一种非常巧妙的东西。肥皂分子的结构很长，一端有极性，一端没有极性；一端负责吸水，而另一端则吸走油腻。简单来说，就是从你皮肤上把脏的东西粘起来，然后让它们被水冲走。

香皂、洗发水、洗洁精和洗衣液等的清洁原理都是一样的。

机智如我。

但肥皂的巧妙之处远不止于此。

当肥皂分子和水分子混在一起时，“喜欢水喜欢得死去活来”的那一端就会紧紧抓着水分子不放。

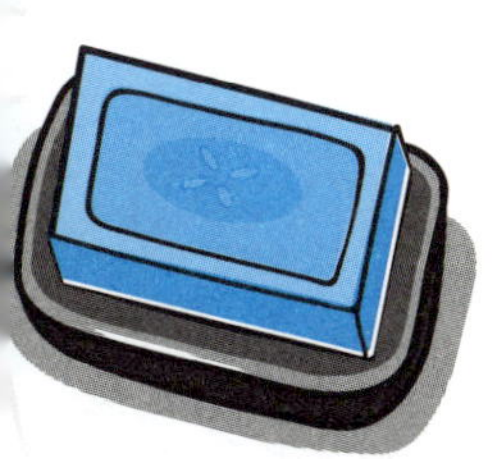

而“讨厌”水的一端则尽可能拼命地避开水。这就让水出现了分层。当空气进入分层之间时，就会出现……

你看到的肥皂泡沫，是被困在一层薄薄的水分子里面、被两层肥皂分子挤压着的空气。“砰！”的一声，就不见了。

真好玩儿！

好了，是时候刷牙了。你知道这是每天必须做的功课。

因为爸爸妈妈一直跟你说必须刷牙。牙要经常刷，每天至少刷牙两次。

而且牙医也是这么说的。

没错，乖乖刷牙能让爸爸妈妈不再唠叨，让你耳根清净。

刷牙能让你的耳朵保持良好的健康状态，不会因为老听爸爸妈妈唠叨牙齿的事而使用过度。

不过，除此之外还有别的原因吗？

到现在，我们已经说了好几个细小到肉眼看不到的东西了——原子里的电子、大脑中的神经元，以及这些小东西是如何大大地影响着你的生活的。现在，我们再来说另一个小东西——细菌。

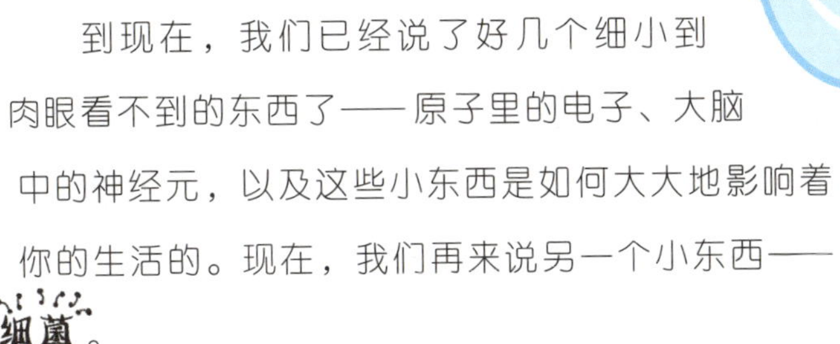

细菌——我们的小小伙伴！也是敌人！细菌是极其微小的生命体，小到人们只有透过显微镜才能看到它们。细菌的英文名是bacteria，可别跟叫bateria的一种巴西演奏桑巴乐的敲击乐器搞混了。这种乐器个子挺大，它一响，人们就会情不自禁地**摇摆**起舞，而细菌则非常微小，有一些喜欢攻击你的牙齿，让牙齿变得脆弱，而bateria永远不会攻击你的牙齿，因为它太大了，塞不进嘴巴里，毕竟它是一种大型敲击乐器。

好了，现在把注意力重新集中到细菌身上。细菌是非常淘气的小生命，是最简单的生命体之一，而且在地球上，它们无处不在。大海里、雪地里，甚至你的鼻头上，真的是到处都有它们的身影。

你身体各个部位也存在着各种各样的**细菌**，有的是对身体有益的，比如，在肠道里帮你分解食物的细菌；但也有一些，比如，在你嘴巴里的，真的是一点用处也没有。

“牙菌斑”就是由细菌和糖在牙齿上形成的一层黏黏的膜，逐渐侵蚀牙齿表面那层洁白又坚硬的珐琅质。这最终会导致牙齿出现一个个的洞，形成“蛀齿”，或叫“龋齿”。细菌还能侵蚀牙床，引发牙床疾病，导致牙齿松动，最终脱落。如果一旦出现这些问题，那么就得请牙医解决了，所以我们得**想方设法避免**这些问题的出现。现在，你可要看仔细了。

我们不但要把牙菌斑刷掉，而且还要把吃饭的时候残留在牙缝中的食物残渣刷掉。

牙膏是什么东西？里面有什么呢？

牙膏里面有各种成分，各有各的功用。

看这里：

牙膏里面有研磨剂。这是一种细小的颗粒（有点像沙子，但比沙子要小很多），在用牙刷刷牙的过程中，研磨剂会把牙菌斑从牙齿上刮走。

牙膏有各种口味和颜色，其实它们的作用就是为了吸引你把牙膏放嘴里罢了。比如，薄荷味！味道很不错！

牙膏里还有一种叫“水分保持剂”的化学成分。它可以保持牙膏里的水分不流失，让牙膏不会定型变硬。牙膏开封后，就得靠它了。

还有，还有……

了不起的氟化物！

当细菌开始大口大口地吃掉覆盖在牙齿表面美味的糖和食物残渣时，就会产生酸，而酸对牙齿来说可不是好东西。牙齿表面坚固的珐琅质是由矿物质构成的，比如——钙。酸就喜欢把钙从牙齿里扯出来（这个过程叫“脱矿作用”）。

脱矿作用弱化了珐琅质，导致龋齿，这时候我们就需要氟化物了。氟化物将矿物质重新填进龋齿洞里，即将珐琅质再矿化，使牙齿表面得到加固。这样便能更有效地抵御细菌的侵蚀了。原来如此，真是吓出了我一身冷汗！

咦？等一下！我睡觉的时候可没有吃东西啊！为什么我早上起床后要**刷牙**？

这有两个原因。

首先，睡觉的时候，你嘴里唾液（口水）的分泌量减少，好处就是免得你睡着后流一枕头口水；其次，白天，你的嘴巴不但要利用唾液润湿吃进嘴里的食物，还得靠它分解食物。与此同时，唾液也是口腔内非常强劲的杀菌剂，能有效控制细菌的滋生。

到了晚上，唾液量减少，没了拦路虎，细菌自然会在口腔里大量滋生，所以早上你还得把它们消灭掉。

那些讨厌的细菌可不挑食了，非常乐意在你口腔里找吃的，例如，在你牙床和舌头上的蛋白质，对它们来说也是相当美味的。

哇，呸！

口腔里的细菌吃过蛋白质就会释放出难闻的气体，这就是早上醒来口气难闻的原因。你得赶紧刷牙，把前一天晚上在你嘴里开狂欢美食派对的臭烘烘的细菌清理掉。

所以，刷牙不仅能把臭烘烘的细菌清理掉，还能把它们留下的恶臭除掉。别忘了多用点水漱口。因为牙膏中的氟化物虽然能保护你的牙齿，但吞进肚子里可不是好事（不管它们闻起来有多么香）。

现在，我们终于可以开始新的一天了？似乎到目前为止，我们还只是在起床和洗漱阶段，不过我们也谈了电子和分子，还有大脑里的**神经元**和嘴巴里的**细菌**——都是关于那些肉眼看不见的、小得几乎**隐形**的东西，它们大大地影响着我们的生活。这些情况在接下来的一整天都将**持续发生**。

先吃早餐再说吧。吃饱了才有力气解决问题。

我们不说“大便”
啪嗒

现在该饿了吧？

昨天下午茶之后就没再吃东西，现在应该饿了。跟其他一切生物一样，人类需要进食才能生存。我们从食物里吸取**能量**和**养分**。如果一段时间不吃东西，那么胃就会分泌一种称为饥饿激素的化学激素，以提醒大脑，该找吃的了。

人们爱吃东西是有很多原因的，通常是因为东西好吃。和家人和和美美地坐一起共享美食，或和朋友在聚会上畅谈共同话题，享受着开心、温暖的时光。对于你的身体而言，吃饭这回事儿，就像是例行公事。

基本上，你的身体就是一座食物加工厂。

消化系统就像是工厂里的传送带。在入口处放进食物，身体就得对它进行处理，把需要的东西提取出来，把不需要的东西从身体的另一端“扔”出去。我说的就是你想的那个意思。咱们含蓄一点，不说“大便”。

食物处理的第一个步骤：用牙齿把食物切割成小块。所有磨、咬和咀嚼的动作都是为了把食物弄成小块，那样身体对它们进行加工的时候会方便很多。咀嚼的同时，还可以将食物与唾液进行充分混合，让食物变成湿润且黏稠的状态，这样食糜才能更轻松地通过消化系统。与此同时，唾液开始分解食物里的**糖分**，将糖转化成身体可以利用的能量。

你吞下去的食物会通过一个名为“食道”的“管道”，往下被送进下一个“加工车间”——胃。

这个过程耗时大概10秒。我说“往下”，是因为我们吃东西的时候通常都是坐着甚至站着的，感觉就像食物掉进肚子里，但其实并不是这样，就算你以倒栽葱的姿态吃东西，应该也能把食物咽下去，即把食物送进胃里，而不是送进脑袋里。一大坨黏糊糊的食物经由食道肌肉收缩（肌肉一用力，变得又短又厚，把食物往下推），成功地通过食道。

就算是太空里的宇航员也能正常进食。在太空里，他们可不知道哪头是**向上**，哪头是**向下**呢。

你还记得之前提过的侵蚀牙齿的酸吗？胃里也有功能**很强**的酸，但在这里，它们却是好帮手，帮我们消化食物，把食物变成对身体有用的成分。经过2~6小时，你的胃就能把所有食物送进小肠。

如果把小肠画出来，那么它看起来就像是世界上最让人头晕目眩、最疯狂的水上乐园的滑梯……

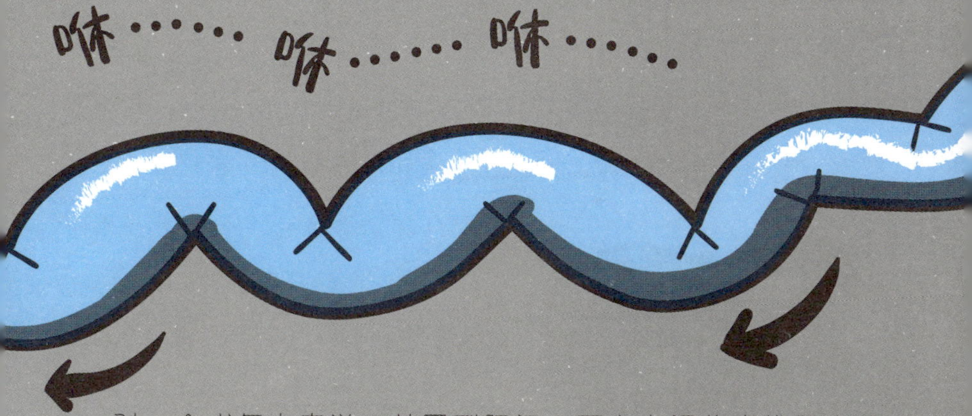

咻……咻……咻……

对一个成年人来说，从胃到肛门，两点之间的直线距离只有大概30厘米长，但这个区域里的小肠并不是一条直线，而是在你肚子里**紧紧揉成**一堆，总长度约有7.5米（25英尺），食物要在里面走一遭得用40个小时呢。随着食物在小肠里的移动，身体便从中吸取了重要的营养，并将其输送至血液中。

你的身体要提取哪些成分呢？其实，食物产生了很多营养成分，身体就是利用这些营养成分来完成各种各样的工作。

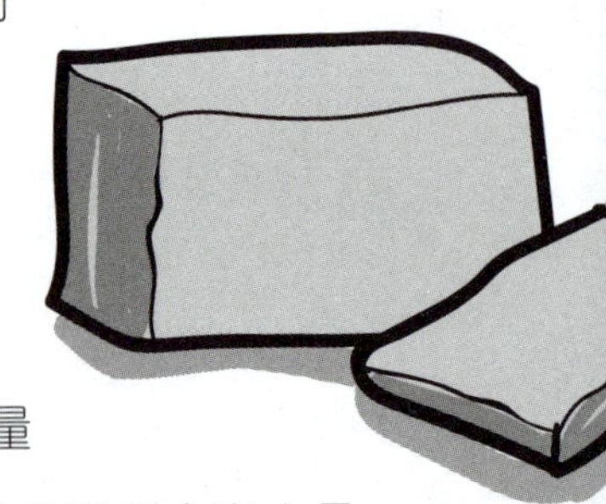

碳水化合物含有身体可以利用的大量能量。意大利面、土豆、面包、米饭和甜食里都含有大量碳水化合物。碳水化合物能带来饱腹感，只要把握好分量，它们就是绝佳的**能量**来源。

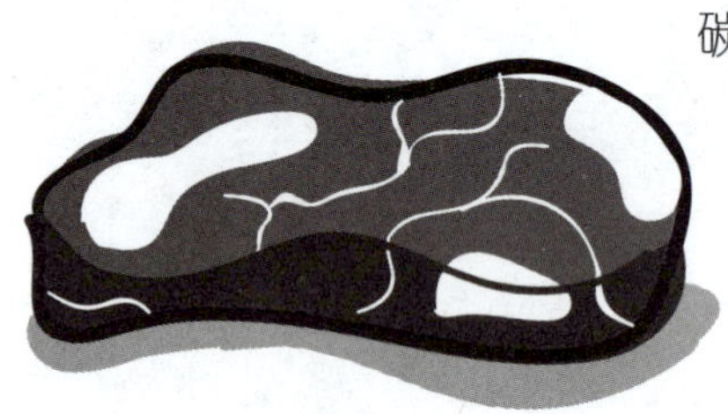

芝士、肉类、鱼肉、豆类等，都含有丰富的蛋白质。我们的身体不但需要蛋白质修复受损的组织和合成肌肉、骨骼及皮肤，还需要蛋白质合成某些具有功能性作用的化学物质，比如，荷尔蒙和各种酶。

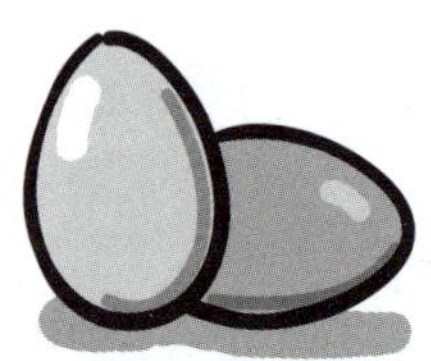

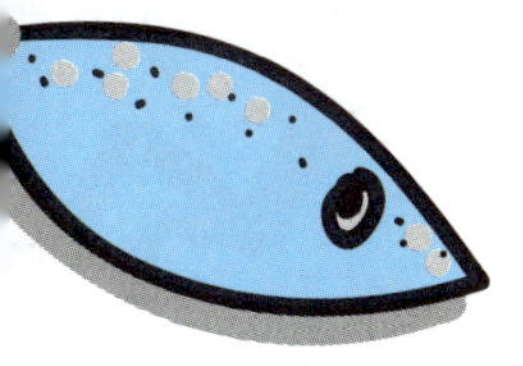

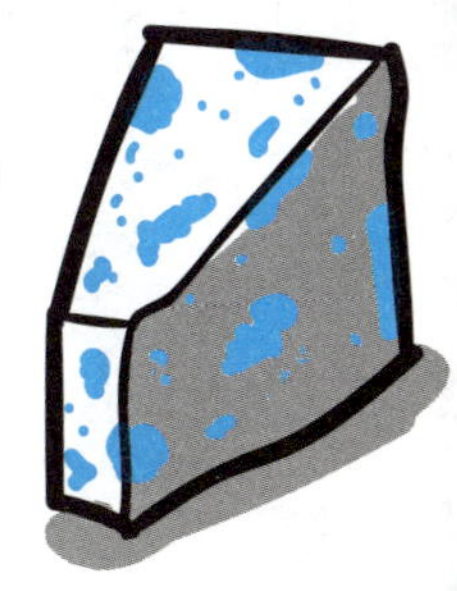

微量营养素指的是身体需要的维生素和矿物质。身体对微量营养素的需求量很低，但要合成那些极其重要的荷尔蒙、酶和蛋白质，它们是必不可少的。

脂肪存在于肉类、奶制品、鱼肉、坚果和油中。人们总担心脂肪对身体有害，但其实，只有我们吸收过多脂肪时才会给身体造成负担。身体用到脂肪的地方可多了，比如，维护皮肤和身体组织的健康，以及往全身输送维生素。人的大脑中，脂肪的比例占了60%！对神经系统来说，脂肪同样至关重要，因为我们得靠它组成髓鞘（一种包裹着神经细胞的物质），确保神经细胞能安全地发送“电子信息”。脂肪还被用于合成某些荷尔蒙，即那些让你的身体开启或终止某些进程的化学信使。

所以说，脂肪确实是很有用的东西，但有时，我们囤货的确有些过量了……看看你爸爸的肚腩就知道了。

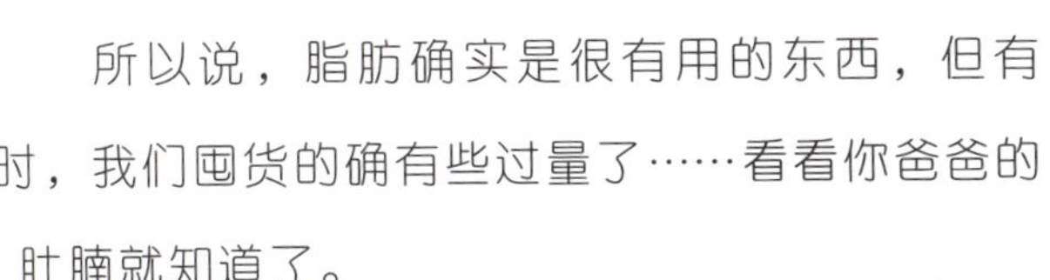

吃太多会怎样?

身体做每一个动作都需要能量，而能量就是从你吃进嘴里的食物中获得的。跑、跳、坐、思考，甚至睡觉，都需要消耗能量。有些行为需要消耗较多能量，如跑步上山、侧手翻下山，或是进行其他运动；而其他行为消耗能量则比较少，如读书、做白日梦、看电视或玩手指。基本上，就算你坐着一动不动，但身体还是暖和的，也就是说体内在消耗能量。明白了吧?

吃东西的时候身体就会从食物里吸取能量。如果又跑又跳又坐都消耗不完这些能量，那么身体就会把多余的能量储存起来，这种行为有点像松鼠囤粮过冬。

身体会把能量转化成脂肪，需要的时候就能直接派上用场了。如此聪明的系统意味着，就算一段时间不吃东西，身体也能从脂肪细胞里提取能量，直到你再次进食为止。

那么身体是如何燃烧脂肪的呢？我们说“燃烧”，可不是说身体里藏着个专门烧油或烤脂肪的烤炉，而是通过呼吸把能量从肺呼出体外。你看，这么说是不是合情合理得多了？

什么？我刚呼出了一块比萨？

嗯……是的，不过过程有点复杂……

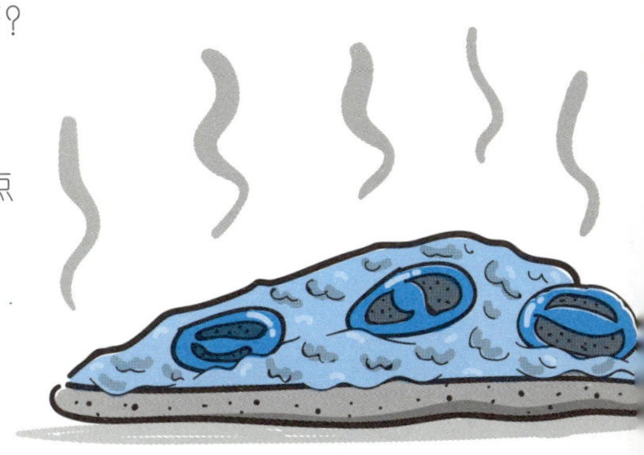

脂肪跟其他东西一样，都是由分子组成的，只不过组成脂肪的分子非常复杂。

之前提到过的水是一种非常简单的分子，只是由一个氧原子和两个氢原子连在一起组成的，但脂肪则是由大量氢原子、碳原子和氧原子连在一起组成的一条复杂的链，就像这样：

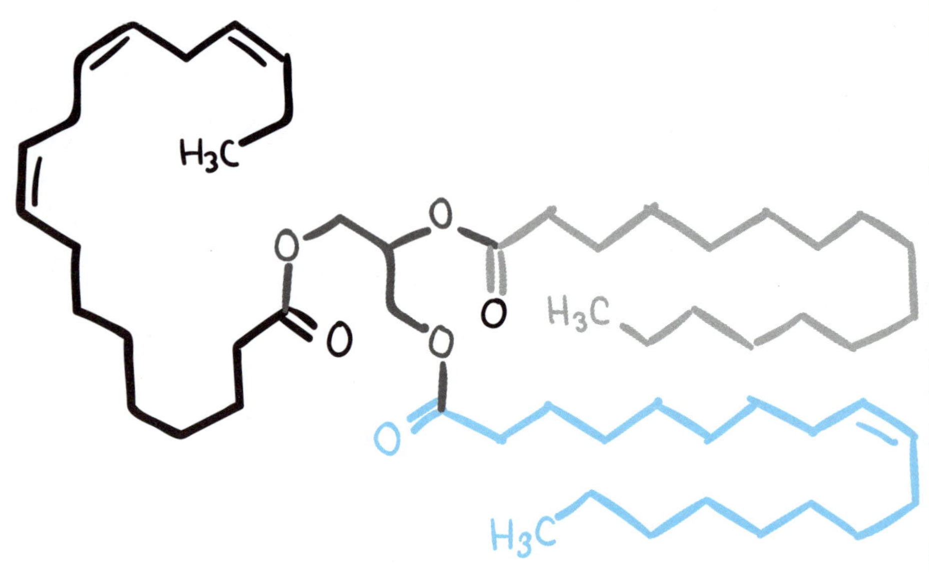

身体会合成一种叫“酶”的特殊化学物质。在你吃饱饭后，酶就变得忙碌了，因为它们得把你吃进胃的肥大的脂肪分子分解成小小颗的“脂肪酸”和“甘油”——之后这些都会进入血液中。

脂肪酸和甘油随着血液流经全身，直到进入肝，在肝内被转变成葡萄糖（糖类的一种），作为身体的能源。身体把葡萄糖分解成二氧化碳和水来“燃烧”能源，在释放热量和能量的同时，肺会把二氧化碳呼出体外。

这个过程有很多个步骤，但基本原理很简单：你的身体能将非常复杂的分子进行分解，找准对身体有用的部分，燃烧并**释放热量**和**能量**，再把剩下的废物**排出体外**。

就像你家里有一台以乐高积木为燃料的暖炉，因为拆积木是你的拿手好戏，所以每天你就拆着复杂的积木，然后把积木扔进暖炉里烧掉，来维持**火苗**的燃烧。

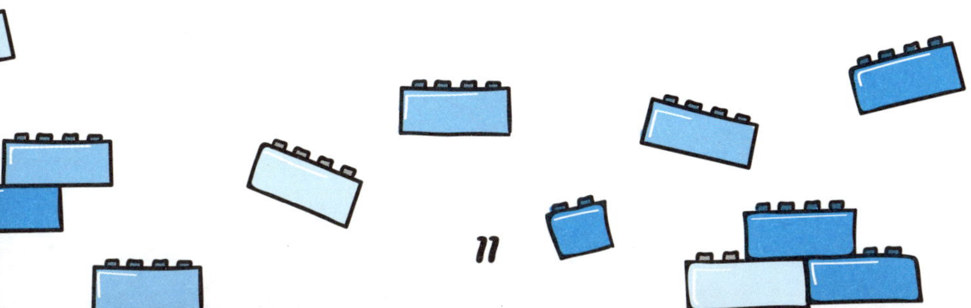

前面说了这么多关于怎么把脂肪分子变成最后的二氧化碳和水的知识，你听得肚子都饿了吧？既然已经知道为什么要吃东西，以及身体会怎么处理吃进肚子里的东西了，那现在就来想想吃什么早餐吧……

庆祝烤面包片的诞生！

吃片烤面包怎么样？不就是把面包片加热吗？可是……你就没有好奇过，为什么烤过之后的面包片吃起来味道变得不一样了？为什么烤过之后的面包片会让你闻着就不自觉地流口水？烤面包机是怎样把一片平平无奇的面包变得**又香又脆**的？

要知道答案，咱们先来看看烤面包机。发电站通过电线“嗖嗖”地往你家**输送电能**，烤面包机把电能作为能源。当你把烤面包机的插头连上插座时，电能就可以传递给烤面包机。这种电能跟让你头发立起来的电能（静电）有点相似，但静电之所以被称为“静”电，是因为它是乖乖待在原地不动的。

而在烤面包机里会发热的电能则是流动的——因此，叫“电流”（没错，听起

来就像是河水一样流动，这比喻还挺贴切的，因为所有电子都是流动的）。

简单来说，**发电站**就是制造大量同一极性的电子的地方。还记得把你发型弄乱的电子吗？正如我们之前所说的，它们带有负电，所以想方设法都要找到正电，与正电连上线。既然它们如此渴望找到正电，那么我们就可以通过电线把它们传到几千米以外的地方，让它们与正电连上线的同时，替我们做各种各样的事。

给玩具车装电池也是同样的道理。一端是负极（里面全是电子），另一端则是正极（里面全是带正电的化学物质，没有一个电子）。电子冲着正电而去，在电池外跑一圈，我们称这个圈为“电路”。电子疯狂奔跑的时候释放的能量便可以推动马达转动，让玩具车动起来，而且，它们还可以点亮车头灯，让洋娃娃开口说话，能为你做各种各样的事情。

最后，当所有电子都到达正极，电池两端正负电荷达到平衡时，电池中的电量就消耗光了。这时，该更换电池了。更换电池的时候你也不必伤感，它并不是死了。

它是太开心了！

从化学物质里被分离出来那么久，终于回家了，这些电子都不知道有多开心呢。

所以，稍微学术一点来讲，电流就是电子在物质（例如，你家那台烤面包机里的电线）里的运动。简单地理解，电流就好比一条湍急的河流，电子通过电线，一路从发电站流到你的烤面包机里。

把面包片按进去之后，我们来看看烤面包机的内部结构。你能看见什么？是不是发现夹着面包片的铁丝网红得发亮？

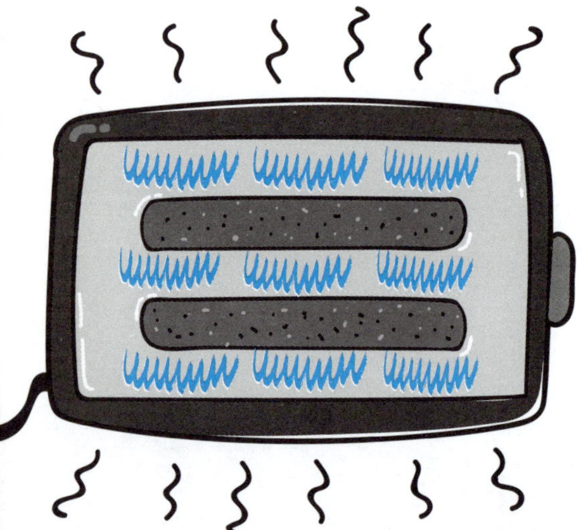

这些红得发亮的铁丝叫“灯丝”。灯丝非常细，它们就是烤面包机**发热**的秘密。当电子快速经过灯丝的时候，它们不但相互碰撞，还会与组成灯丝的原子发生碰撞，这个过程便会释放**热能**。

如果你和朋友要从非常拥挤的空间里跑过去，你们也会相互发生碰撞并“**释放热能**”，大声喊疼，或者跟对方说“借过”。而对于原本就已经在那里站得好好的人，突然被你推过来撞过去的，还被你踩到脚，肯定会火气“扑哧扑哧”地往上冒，脾气变得**火爆**。

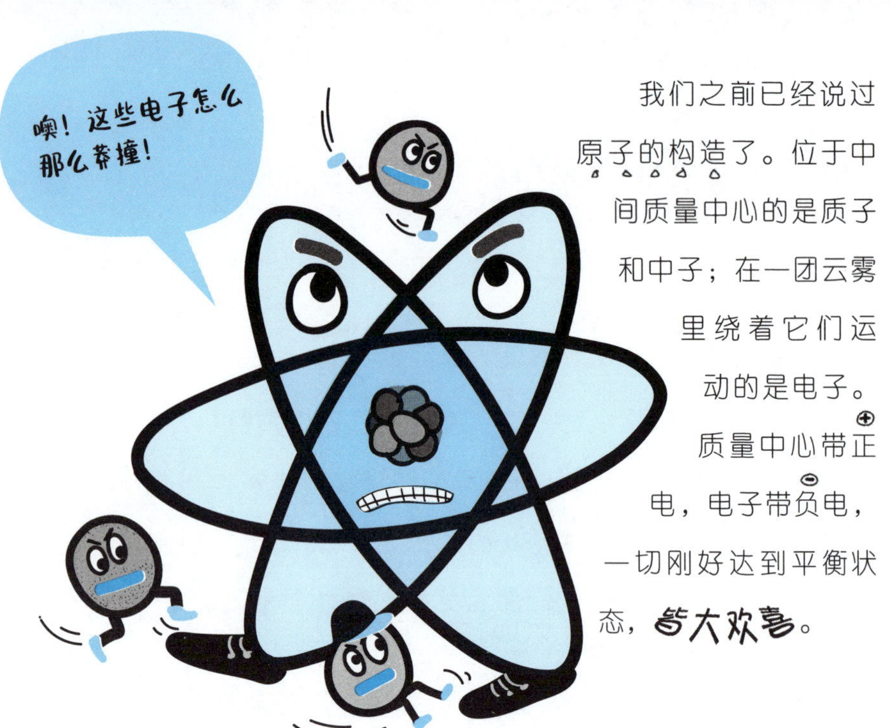

我们之前已经说过原子的构造了。位于中间质量中心的是质子和中子；在一团云雾里绕着它们运动的是电子。质量中心带正电，电子带负电，一切刚好达到平衡状态，**皆大欢喜**。

然后，这群疯狂又散漫的电子从发电站或电池里冲过来，浑身是劲儿地**四处乱撞**。它们撞到原本各就其位的电子上，把这些电子也撞到浑身是劲儿。现在可好，这些本来乖巧的电子也得找地方发泄过多的能量了，所以，它们就蹦起来了！从原本的轨道上跳出来，弹得远远的。

可是它们是应该待在轨道上的呀！

就像有人突然给了你一杯能量**饮料**，里面的气体、糖分和刺激感让你突然**充满活力**，让你兴奋得几乎忍不住冲上街找一群比你大5岁的孩子打一架，然后你突然**清醒**过来，看看四周，说："哎呀！我不应该在这里呀。"

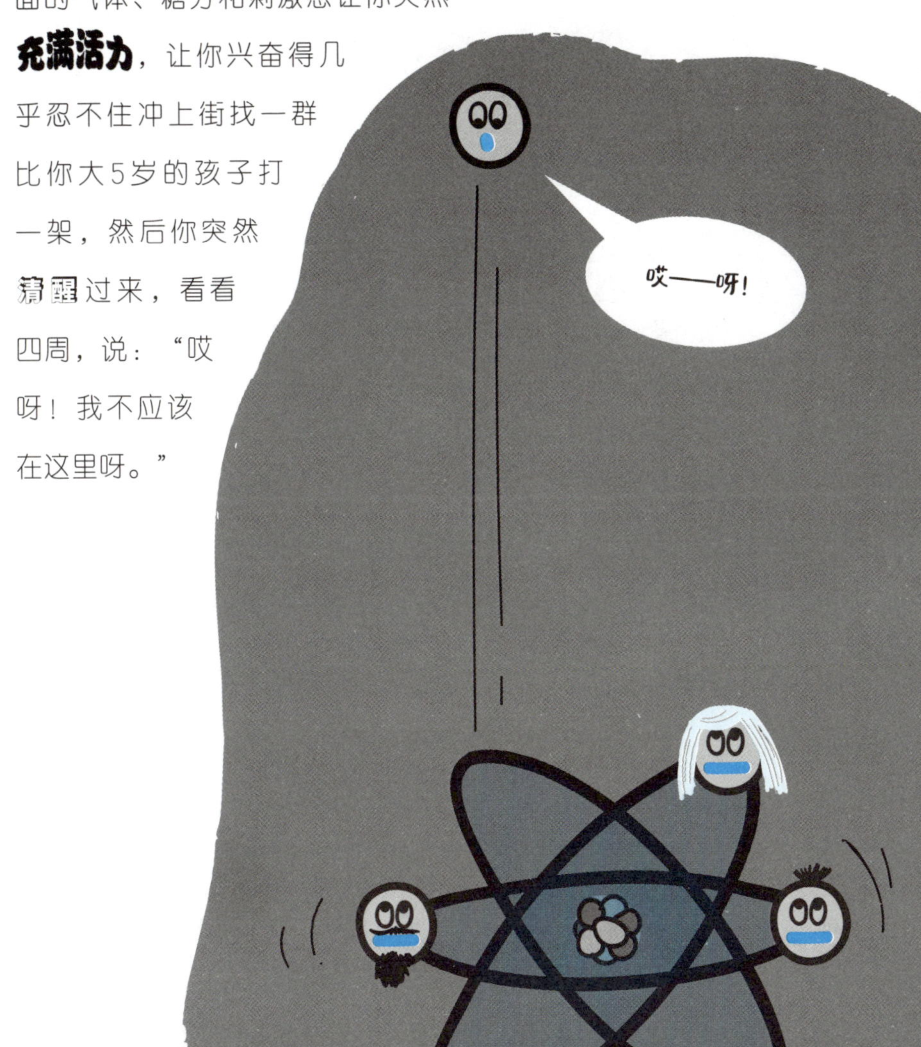

要想重新回到教室，就必须先把饮料里的**气体**吐出来，所以你得先打个嗝，然后才能进教室。那群横冲直撞的电子也是这样，得把过多的能量**释放出来**，才能重新回到电子云上。

所以说，电子其实跟你没什么差别，被挤得太兴奋了，就弹出原本的轨道，绕更大的圈跑，通过发光发热的方式释放多余的能量，所以你就能**看到**烤面包机中的**灯丝**发光、感觉到灯丝发热了。

家里有不少电器都是通过这种方式发热的。如电热水壶、烤箱甚至洗衣机，都是通过一条细窄的电线把电能转化成**热能**的。

所以，总的来说，电子是很莽撞的，它们把其他电子推开，兴奋和冲动起来，直到把你的面包片烤成了金黄色，它们才算安静下来。

现在一切真相大白了，但为什么烤过的面包片变得那么好吃呢？当然是因为鸭子了。

美拉德反应（The Maillard Reaction）

砰！你的面包片烤好了。光看着就让人流口水了对不对？但为什么烤一下就能让面包片变得比没烤过的好吃？它们到底在烤面包机里经历了什么？

烤面包机里发生了美拉德反应。什么是美拉德反应？那就是鸭子侦探美拉德喜欢吃面包，但讨厌烤过的面包，如果你拿一片烤过的面包给它，那么它就会**生气地**嘎嘎叫，这样你就能知道面包片是烤好的了。

不不不，等等。我搞错了。

这里的美拉德反应可不是鸭子侦探美拉德的“反应”哟！美拉德反应是以法国化学家路易斯·卡米尔·美拉德的姓来命名的。他是解释烘烤让食物变得美味的整个化学反应过程的第一人。

美拉德

面包是由面粉制成的，碳水化合物和蛋白质是面粉的主要成分。当你把面包片塞进烤面包机并按下开关后，烤面包机里面散发的热量会使糖分与蛋白质里叫“氨基酸”的化学物质相结合，让面包片变成焦糖色，并散发出诱人的**香气**。

热量还让面包表面的部分水分蒸发，让面包表面**变干**，吃起来脆脆的，口感特别棒。

这跟鸭子其实一丁点关系也没有！是科学家路易斯·卡米拉·美拉德揭开了烤面包片美味的秘密。原来如此！

那么为什么烤面包片会让你口水直流呢？

闻到食物的香气，我们就会不由自主地想把它吃进肚子里，所以身体各项机制就开始提前做准备了。第一阶段就是口腔开始分泌唾液，准备分解食物。现在，就只等着美食乖乖送进嘴了……

早餐吃起来什么味道？甜味的、咸味的，还是鲜味的？

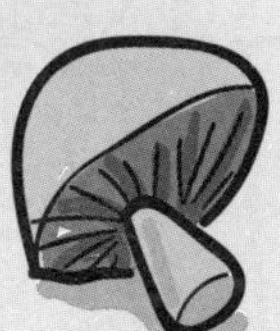

鲜味在日语中的叫法是“**Umami**”。它和甜味、咸味、酸味和苦味一起，组成了食物的五种基本味道。

甜味是糖的味道；咸味，我觉得这个不需要解释了；鲜味是烤肉或烤蘑菇时发出的那种有点烟熏的味道。

酸味是柠檬的味道，而苦味则是类似咖啡的味道。酸和苦在英文中也可以作为形容人类感情的形容词。对我来说，这五种味道中，有两种好吃的味道，三种难吃的味道，**这太不公平了！**

有了这五种味道，就能组成世界上各种各样的味道吗？听起来不太可能，对不对？光是数一下雪糕的味道，你也能数出不止五种了。要是让你数自己讨厌的食物味道，也绝对不止五种，而且不喜欢的原因各不相同。这世界上可有着数也数不尽的食物呢！

其实这里面的学问，
远不止味道那么简单。

现在，不少科学家希望能把“淀粉感”和“脂肪味”也加入舌头能尝出来的味道中；还有科学家认为，“钙味”“氨基酸味”，甚至听起来就不那么好吃的“血味”，都应该算入基本味道中。

舌头能尝出所有这些味道。因为舌头上面覆盖着味觉感受器，检测到五种味道（有可能更多）之后，通过神经系统向大脑发送信息，告诉你，尝到的是甜的、咸的、鲜美碳烤的，还是酸酸涩涩又有点甜甜的味道。

舌头上有触觉感受器和味觉感受器。触觉感受器会告诉你食物到底是暖的、辣的、粗糙的、细滑的，还是奶油状态的，触觉感受器在你品尝味道的过程中同样起着非常重要的作用。

只靠舌头还不够，想判断早餐好不好吃，还得靠**鼻子**。记得我们之前说的，闻到香喷喷的烤面包片会让你**流口水**吗？鼻塞的时候，食物吃起来感觉会很不一样呢。

咱们一起来看看这是什么原因。这可是科学界最伟大的实验之一呢！

拿起一块巧克力。先别急着把它放进嘴里——什么？你已经把它放进嘴里了？

好吧，用水漱漱口，我们重头再来一次。拿起一块巧克力，千万别先急着吃进去啊！你又把它吃掉了对吧……

拜托！算了，再漱一次口吧。

拿一块巧克力，别吃，乖！现在，把巧克力扔进嘴巴里之前，用另一只手捏着鼻子，让自己闻不到味道。现在，你可以把巧克力放嘴巴里了。让它在嘴里慢慢溶化。感觉还不错，对吧？当巧克力在你**舌头**上**慢慢溶化**的时候，松开捏鼻子的手，深呼吸。哇哦！一瞬间，这块巧克力好吃到简直要

爆炸！

那是因为味觉感受器在舌头上，但你是通过鼻子来闻味道的。

我们平时说的“味道”，听起来好像是一个感觉，其实是将味觉和嗅觉都包含在里面了：舌头尝出来的味道，和鼻子闻出来的气味。

这才是**重点**：如果你还没能分辨出来……再去拿些巧克力试一下，试到你分辨出来为止。

科学家都得有这样孜孜不倦的精神

但可别拿巧克力当早餐！

好了，接下来我们用微波炉煎几个鸡蛋吧。

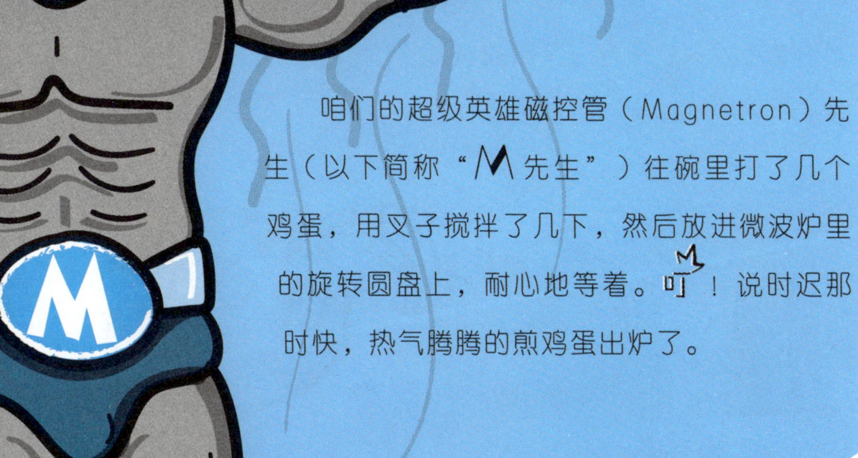

咱们的超级英雄磁控管（Magnetron）先生（以下简称“M先生”）往碗里打了几个鸡蛋，用叉子搅拌了几下，然后放进微波炉里的旋转圆盘上，耐心地等着。叮！说时迟那时快，热气腾腾的煎鸡蛋出炉了。

微波炉的加热原理是什么？

你的爸爸妈妈说：“哈！这可简单了！里面应该藏着一个加热器，就像烤面包机、电热水壶和烤箱那样。”

你跟他们说：“不对，微波炉里没有加热器，只有叫‘磁控管’（Magnetron）的东西。这听起来很像哪位超级英雄的名字，对吧？”

或者像一个跟变形金刚那么厉害的机器人的名字，但其实都不是。“磁控管”比它们酷多了！

我们一直在说身边看不见的神奇的东西，而现在要说的，正是当中最最神奇的一个，它的名字叫“电磁波”。光这名字听起来已经够厉害了，但更厉害的是，它们虽然是无形的，却无处不在，只要你看到的地方都少不了它们的存在。

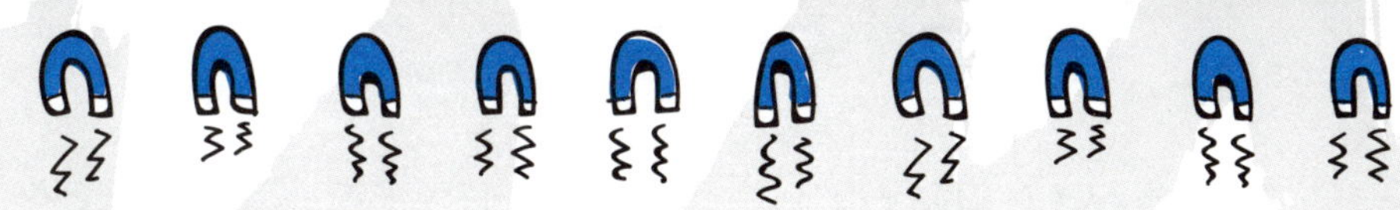

嗯……这个有点难解释，我们先一起深呼吸一口气。

我们已经说过，整个宇宙都是由质子、中子和电子组成的，也说过质子带**正电荷**，电子带**负电荷**，四周不管哪一个角落，都有带电粒子在以极其微弱的幅度运动，它们运动的区域就叫“电磁场”。

如果你拿一块**磁铁**慢慢地靠近另一块**磁铁**，那么随着磁铁越靠越近，你能感觉两块磁铁之间的**吸引力**或**排斥力**。这正是**电磁场**在起作用。在两块磁铁靠得非常近的时候，这种感觉会变得**很强烈**、**很明显**。原来在我们生活的空间里，到处都存在着**电荷**和**磁力**产生的吸引力和排斥力，不过除非磁场很强烈，否则我们基本上是感觉不到它的存在的。

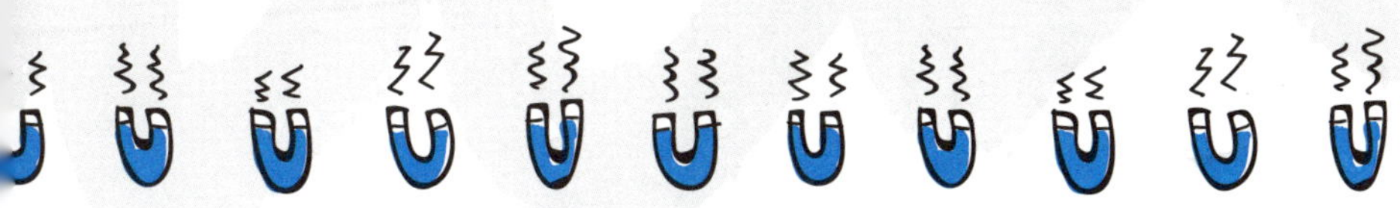

行走在这片电磁场中，有点像鱼儿在海里遨游，我们甚至意识不到它的存在。在海里也一样，你能看到波涛汹涌，但不管怎样，鱼还是照游不误。同理，在我们身边，每时每刻都存在着这种电的“**海**”。

它的名字叫“电磁波”，作用可神奇了。其中，有一种类型的电磁波，名字你肯定知道，那就是“**光**”。

没错，光其实就是一种波，在我们身边的电磁场里规律地上下波动着。

有的波很长，波动很大；有的波很短，波动急促。

不同形状的波，运动模式也大相径庭，主要是因为它们携带的能量多少不同。

波很长、波动很大的波我们称为“无线电波”。没错，通过电台能收听到的无线电，上网用的无线WiFi，以及射电望远镜接收到的**太空信息**，都属于无线电波。如果波长变短，那么**波峰**出现的频率就会提高。波峰出现的频率越高，其携带的能量和信息量则越多。比无线电波波长短且频率高的，是微波。比如，手机就是使用微波进行通信的。

所以我们跟别人交谈，其实也就是在电磁场里发送自己的电波。

在电磁波谱中，有那么极小的一部分电磁波波长既不太长，也不太短，能够清晰地被我们肉眼看到，这就是**可见光**，所以，光谱里的各种颜色，其实就是各种类型的电磁波。肉眼和大脑对这些电磁波的反应，就构成了我们看到的**五彩缤纷**的世界。我们看不到无线电波，尽管我们知道它是存在的。

在电磁波谱中，还有波长极短的电磁波，穿透力很强，而且传播速度非常快！这些电磁波的能量是最大的，比如，“伽马射线”和“X光”。它们强大到可以穿透你的身体，所以我们会利用这些电磁波来给人体内部拍照，但同时，由于它们携带的能量实在太大，因此也是**非常危险**的。

啊！我们在说微波！差一点忘了为什么要说它，快回到正题吧。

我知道，你想吃煎鸡蛋，对吧？结果我们把话题扯到外太空去了。

微波也是**光波**的一种，只不过它有很强大的能量，可以穿透其他东西。微波炉里的磁控管有什么用？它的作用就是把从插座导出来的电转化成微波，即一种像无线电波那样的电磁波，但波长更短、能量更强。

可我肚子还是饿！

一旦遇上食物，微波能让食物里的分子飞快地**振动**。正如我们之前提到烤面包机时说过的，当原子和分子振动，**互相碰撞**时，它们就会发热，帮你把鸡蛋或者其他你想煮熟的美味食物**煮熟**。

大功告成！你还在听吗？鸡蛋来了！你可以拿鸡蛋去逗一逗爸爸妈妈！

鸡蛋太好吃了！它们是从哪里来的？

嗯，从**冰箱**里拿出来的。那在这之前是来自哪里呢？

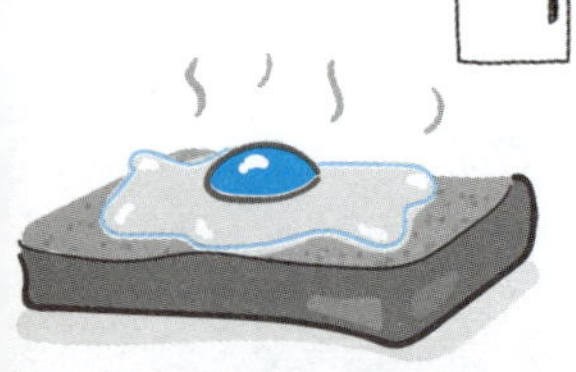

嗯，商店里。你是故意的，对吧？

鸡蛋最初究竟是从哪里来的？

当然是鸡生出来的呀！

那鸡又是从哪里来的？答对了！是从鸡蛋里孵出来的！鸡生蛋，蛋生鸡，生生不息，无穷无尽，无限循环。

所以，去问问爸爸妈妈或你的老师，究竟是先有鸡，还是先有蛋？

*：一打指十二个。

他们可能会吞吞吐吐，又恼怒又无奈地说：“这是个没有答案的问题。”因为这个问题可以追溯到古希腊时期，但一直到现在，人们依然在为这个问题头痛，但……其实，这个问题是有确切答案的。

古希腊人对恐龙很狂热，但其实他们对恐龙知之甚少。我们能找到最古老的蛋，距今有1.9亿年的历史，与恐龙称霸的时代相吻合。

那时候不太可能有鸡。目前，人们发现的年代最久远的鸟类化石，是始祖鸟化石，它的年代可以追溯到1.5亿年前。

所以可以得出结论，蛋比鸡的出现时间要早很多很多。

趁着爸爸妈妈一脸困惑的时候……

赶紧偷偷拿走他们的烤面包片，

还有**煎鸡蛋**，

还有麦片。

你需要补充足够的**能量**——今天要做的事还多着呢！

走！
咱们去搭乘会
爆炸的鱼！

吃过早餐，你的身体储存了足够的能量。咱们该出门了！

今天对你来说，似乎也是平凡无奇的一天，跟平时一样，安排了同样的日程——拖着自己的身体到学校去。

或者是被人拖着到学校去……

被人一路拖着到学校，应该是最省力气的上学方式了。对你来说是这样的，但对你爸爸妈妈来说可就不是了。你可以用床单把自己卷好，然后被一路拖着到学校，或者，你也可以帮助爸爸妈妈减轻负担……

假设你是一个不需要被拖着拽着上学的**乖孩子**，比如，自己走路、骑自行车，或者**幸运**的话——家里有**车**可以载你过去。

哪一种交通方式效率最高呢？

做同一件事时，我们通过消耗能量的多少来测定“效率”的高低。比如，你现在要整理卧室，那么你可以像通常那样整理房间，也可以从床上跳到垫子上，再跳上床（假设地毯是熔岩制成的，烫脚）。虽然整理床铺的结果一样，可两种方式肯定有一个效率没那么高，也就是得消耗更多能量，所以，科学家常言道：“别在熔岩上建房子！”

我们通过卡路里计算能量。这个热量单位你应该不会陌生吧，说起食物时，经常会提到它。简单来说，就是食物被燃烧后能释放多少能量（主要是指热量）。食品科学家计算出了东西在燃烧时释放出多少卡路里，并测量在这种情况下，能达到的温度。放火烧食物，这真的是一种职业呢……

那么，早上上学时，使用哪种交通方式效率最高、最节省能量呢？

首先，肯定不是走路。骑自行车比走路有效率得多。高多少呢？大概高出5倍！神奇吧？也就是说，如果你骑自行车到学校了，发现忘记带铅笔，那么就骑车回家拿铅笔；取到铅笔后再返回学校，又想起你的运动服没带，又骑车回家一趟，拿到运动服又返回学校。这来来回回用的能量，相当于你走路去学校一趟的能量。这样一对比，知道骑车效率有多高了吧？

你可以对比一下骑自行车与走路和跑步时腿部运动的方式。走路或跑步时，双腿把能量用在了让脚蹬在地面上，以及把脚抬起来这样的动作中推动我们迈出每一步。而骑自行车呢，往下踩的动作换成了踩脚踏板。一脚踩下去，自行车链条就会带动后轮转起来，所有能量都用在了把我们往前推进上。

另外，你走路或跑步时，一旦脚停下来，就不会再前进了，而骑自行车呢，就算是爬坡，脚不用踩自行车也能往前继续行进一小段路程，因为就算你不再踩脚踏板增加能量，车轮本身就替你存储了一点能量，足够撑一会儿的。好好体会一下这种惯性滑行的感觉，这时，消耗的可都是你的能量呢！

还有，骑自行车可比走路的速度快多了。如果换成其他的比骑自行车更快的**交通方式**，比如乘坐**汽车**，那么就相当于效率更高吗？

不不！当然不！乘坐汽车效率非常低，起码比骑自行车效率低。

自行车手消耗100卡路里的能量能移动4.5千米。当然，这还得取决于骑自行车的人的身体素质，但同样的**热量**，用最普遍的汽油或柴油来驱动，汽车连短短100米都开不出去！

汽车效率不高的部分原因是因为它们的重量太大了。巨大的金属框架，玻璃，钢铁，车里面散落一地的漫画和杂志，还有不少于两个人的体重（当然，只有你一个人开车，没有其他人时除外）。

骑自行车时，身体会将你吃进肚子里的食物转化为化学能，用来推动腿部肌肉运动。把脚踏板踩下去，带动自行车的轮子转动，把化学能转化成动能，即让物体运动的能量。这听起来似乎够累人的，但跟让汽车动起来的能量相比，简直就是九牛一毛！

开车时，释放引擎：

1.燃料里的化学能。

2.汽车电池里的电能。

汽车将这两种能量作为推动自身运动的能量，而且都需要通过引擎才能把能量释放出来。

引擎里有一个密闭的空间，叫“气缸”，里面装着少量汽油和压缩空气。火花塞给汽油点火，导致汽油爆炸，产生火星。这种微弱爆炸过程中产生的能量，把引擎里称为“活塞”的杠杆往前推。活塞有点像自行车的脚踏板，是用来推动设备运作的。在一次又一次小爆炸的作用下，车底的轮子开始转动，一直把你带到学校门口。当然了，开到学校门口之前，你还得遵守行车秩序和交通规则，耐心等待交通指示灯，等待斑马线上过马路的行人，等待护送学童安全过马路的交警阿姨。

这么看来，驱动汽车的能量跟你骑自行车的能量差别很大，但它们有一个很重要的相似点，即汽油里的能量跟食物里的能量都是来自同一个地方的。神奇吧！

它们都是来自距离我们1.5亿千米远的地方。

我们所有的能量来自……

没错，归根结底，汽车和自行车骑手，都是靠太阳能驱动的，不仅是它们，地球上的万物皆是如此。

不过，从太阳释放出太阳能，到你骑着自行车到达学校，这个过程需要经历很多步骤。

植物利用太阳能生产它们需要的食物，这个制造食物的神奇过程就是“**光合作用**”。还记得吗？在上一章节中，我们讲过人体是怎么分解复杂食物分子的——获得燃料并燃烧**释放能量**，最后通过呼吸呼出气体。光合作用的过程跟这刚好相反。植物利用**太阳光**将周围大气中的二氧化碳和通过根部吸收的水转化成糖。

不论是人类，

还是鸡、牛这样的

动物，一旦把**植物**

吃进肚子里，就可以通

过植物里的糖获得每天运动

需要的能量。

那么汽油又跟这些有什么关系呢？汽油也吃植物（或者吃鸡）吗？

汽油是从原油提炼出来的。原油埋藏在地下**很深的地方**，是由几百万年前生活在地球上的**海洋中**的微小的植物或动物**残骸**形成的。

当这些细小的植物和动物（很可能还有少量**鱼类**）死亡后，沉积在海底。慢慢地，它们被沙和沉积物掩埋。随着沉积物的**堆积**，被掩埋的植物和动物尸体开始被分解或者腐化，但在这里，它们的腐化方式与我们熟悉的腐化方式有点不一样。准备盘水果沙拉，观察一下植物腐化的过程吧。当它们的颜色变成**褐色**，散发出**臭味**的时候，你就可以把它们扔掉了。不过，在幽深的**海底**，腐化过程并不一样。

残骸上方的**沉积物**和**海水**，完全阻隔了空气，这有助于遗骸释放物质中存储的能量。

换句话说，由于这些植物和动物的残骸与**空气**隔绝了，因此它们没办法腐化。这就意味着，在它们体内的能量也被困在残骸里面了。

能量神奇的地方就在于，它从来不会凭空消失。这是一个科学定律，叫“**热力学第一定律**”。这个定律指出：

“在一个封闭的系统内，能量既不会凭空产生，也不会凭空消失。”

这里的系统就非常贴近定律所描述的情况。被一层又一层**沉积岩**（以细沙和碎屑颗粒为主要成分的岩石）压在海底，没有**空气**可以帮助它们正常腐化。一旦与空气彻底隔离，植物和动物体内的能量就被完全**封锁**住了。

没有空气，再加上海底超乎想象的水压、沉积岩的**重力**，以及**地心热力**，这些腐烂的植物和动物（以及封锁在它们体内的能量）被转化成一种

叫“油母质”的物质。最终，油母质会变成我们从地底开采出来的原油和天然气，经过加工后，就可以提炼出**易燃**的物质了，如汽油，然后，我们就可以把汽油注入**汽车**里，给它提供能量！

驾驶汽车的人一打**火**，你就听到引擎轰隆隆地响。你听到的成千上万次小型爆炸的**声音**，是千百万年前吸取了太阳能量的微小植物和动物，将体内能量释放出来的声音。

现在懂了吧，使用早餐吸收的能量骑自行车去上学，绝对比等上几百万年的时间，让**海藻**和浮游生物转变成汽油更有效率。

不过这里倒是有一个问题：如果载的人多了，那么

开车上学的效率会变得比较高吗?

有一种能承载好几十个人的**双层公交车**，它们的行驶有固定路线，司机知道在哪里停站……我刚才是不是提到公交车了?为什么**公交车**喜欢成群结队地出发?

公交车是很不错的交通工具，它能一次性给很多人提供交通便利，成本低廉，还大大减少了路上私家车的数量，但公交车的问题在于，你得等。还有一个问题是，跟你一块儿等公交车的陌生人会突然莫名其妙地转过来跟你说:

“公交车坏就坏在，你等好久都等不到一辆，然后一次给你过来两辆。”

你礼貌性地点点头，忍不住翻个白眼，然后，默默地离这位陌生人远点。不过请你想想，这位陌生人说得一点都没错！有时公交车一下就开过来**两辆**，甚至**三辆**！这个现象有自己专属的名字——“公交串车现象”（Clumping Effect）。

这种现象其实还有至少三个名字：“公交聚集”（Bus Bunching）、“公交护航”（Convoying）和“列队驾驶”（Platooning）。可能等公交的人闲得很，有足够多的时间去想这些奇奇怪怪的名字。

那这背后到底有什么原因呢？难道是司机喜欢把公交车开得近一点，路上好聊天？

一大早，公交车从车站发车，每次发一辆车，按照一定的时间间隔发车，是非常有规律的。在理想的路况条件下，每次车到站的时间间隔也会一样。但是，你知道的，计划永远赶不上变化。生活充满**各种惊喜**和意外，生活就是这么丰富多彩。路上会有**交通信号灯**，有行人，甚至还有**鸭子**一家人集体过马路去对面池塘，各种出乎意料的状况。

一旦其中一辆公交车延误了，那么车站上**聚集**的人就会变多，而车站上的人越多，每次进站让乘客上下车的时间就会越长。

其实，鸭子过马路并不是公交晚点的最主要原因，最主要原因是**乘客上下车**。

当第二辆公交车靠站时，等车的人变少了，因为当中有一半人意外地搭上了延误的第一辆公交车。这也意味着，第二辆公交车在每次靠站的时候，停下来的时间都会比正常所需的时间短，离站也更快，渐渐缩短了与第一辆公交车之间的距离。

一站又一站下来，第二辆公交车与第一辆公交车之间的距离逐渐缩短，不用多久，第一辆公交车紧随其后的就是第二辆公交车了，甚至还能赶超第一辆。可一旦赶超，第二辆公交车又会慢下来。没多久，你又会看到第三辆公交车赶上来了。这一次，连之前那位奇怪的陌生人也没预料到吧。

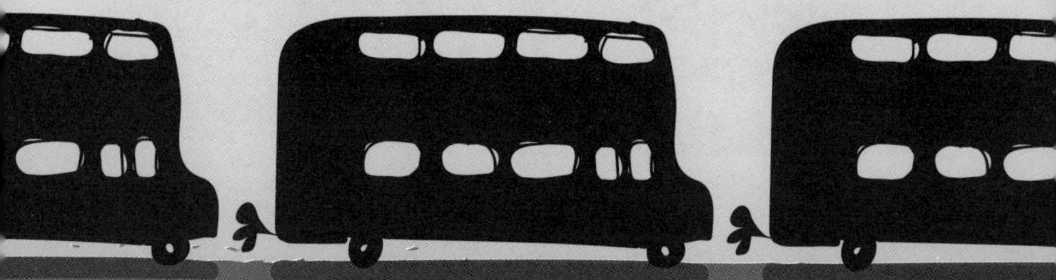

对于这种情况，解决方案是有的，就是**不太受欢迎**。只要限制每辆公交车停站的时间就行了。时间一到，司机立刻**关门**并开车离站。不用想也知道这方法为什么不受欢迎了。

如果有一类公交车无法超过前面一辆公交车，那这种方法就非常有必要去实施了。通常这一类车都是行驶在轨道上的，例如……咦？等等，人类不是发明了**火车**嘛。

火车才不管你。

对于火车来说，堵车是一个严重得多的问题，因为它们没办法超车，所以你可能会遇到这种情况：你被塞进一辆挤满了乘客的火车中，**龟速**前行，后面跟着一辆甚至两辆空荡荡的火车。

所以，火车需要严格遵守时间表。不管站台上还有没有乘客没上车，时间一到，就得关门开走。伦敦地铁站会有提示广播，告诉乘客车门即将关闭。在东京，为了让乘客在高峰期能够更快上车，会有专门的工作人员把乘客推上车，这一类员工叫“**地铁推手**”，日语名称叫作“押し屋”，他们负责用力把乘客推挤上车。

不过一旦上车，你就可以放轻松了，听着火车在轨道上行驶时发出的有**节奏感**的声音，那声音能让人心神安定。你说你听不见？怎么会呢？啊，没错，现在的火车都不像以前的火车那样发出哐当哐当的声音了。

旧式的火车之所以会发出哐当哐当的声音，是因为铁轨之间会有空隙，叫“行车轨道伸缩缝”。之所以有缝，是因为车轨的成分是钢铁和碳。随着车轨变热，在钢铁和碳里的原子会积聚过多的能量，变得非常活跃，导致运动轨迹变大，这会让火车轨道**膨胀**。这时候，伸缩缝就给了轨道留下受热膨胀的**空间**了。

最极端的状况是，因为过热，钢铁和碳里面的原子会相互推搡，导致轨道**融化**，不过那得是在极其炎热的天气才会有可能发生的事——当轨道温度达到1300℃，这温度比太阳系温度最高的行星的温度还高，所以这问题我们应该不需要**担心**。

有什么大不了的？

看起来好像没什么大不了的，伸缩缝的存在没什么必要吧？如果只有那么一小段铁轨，那确实没有太大用处。现实中铁轨的长度是用千米来计算的，对于仍然在使用这种铁轨的旧式火车来说，行车轨道伸缩缝则是相当**重要**的。如果膨胀幅度太

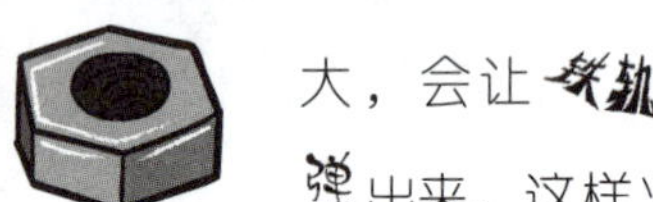

大，会让**铁轨变形**，互相挤压，上拱，螺丝钉则会从轨枕里弹出来。这样火车就没法行驶了。

行车轨道伸缩缝在炽热的**太阳**下，给铁轨留下了足够的膨胀空间，好让整条铁路轨道不至于陷于瘫痪状态，所以说，伸缩缝的设置是非常重要的。下次再听到这种声音的时候，可要记住了。

但这种声音也已经成为过去时了，现在需要更高速的运输方式，能将我们更快速地带到目的地。现代的高铁不能在充满缝隙的轨道上行驶，它们需要的是那种可以流畅地焊接在一起的轨道。

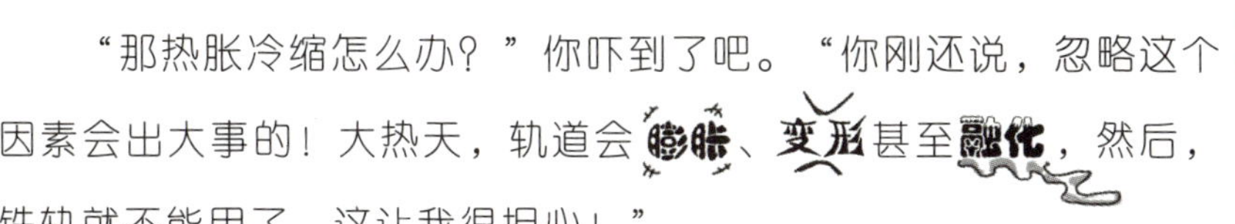

“那热胀冷缩怎么办？”你吓到了吧。“你刚还说，忽略这个因素会出大事的！大热天，轨道会膨胀、变形甚至融化，然后，铁轨就不能用了，这让我很担心！”

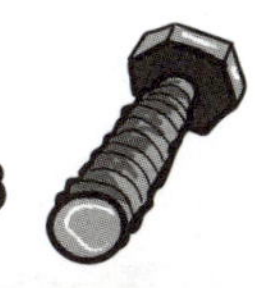

高明而且巧妙的地方就在这里了。制造铁轨的时候，它们就已经是处于膨胀的状态了。这就给铁原子和碳原子提供了更多运动空间，以方便它们四处活跃。铁轨在安装时也是在处于**拉伸状态下**的，即它们被拉得紧紧的。

当阳光照在铁轨上时，轨道温度升高，原子运动加剧，达到“零应力轨温”，但它们需要的空间并没有改变。你可以想象，它们在自己所在的空间里轻松地活动，正如你躺在一张巨大的双人床上，四肢舒服地彻底伸展一样。

那么温度如果特别高，会怎样呢？当然了，要是温度真的非常高，钢铁里的原子还是会激烈地向外运动的，轨道还是会存在**变形的危险**的。

不过这问题已经有人考虑，并计算出来了，轨道阴凉处的**温度**得超过**40℃**，才能让这些高速铁轨变形。不过还好，英国的温度从来没这么高过。好险！

所以你可以安心地坐在火车里，享受超高速列车上平稳安静的环境。如果想来点**怀旧的感觉**，那么不妨自己嘴里哼两声“哐当”。

我们现在要去哪？

什么？**学校**？我才不想去学校呢。

这一整章都是关于
学校的话题

放心吧！

我可不会那样“折磨”你。

直接跳过学校的部分，

咱们来做点有趣的事情！

一些你真正想干
的事

终于放学了，起码今天已经放学了。

在学校里被老师唠叨了一整天，不是**催着交作业**，就是突然袭击来了一场**随堂小测**，就连上体育课也很痛苦，因为你忘记穿运动服了，然后一个球朝你猛飞过来。本来这是个绝佳的得分机会，但这时，所有人突然齐刷刷地看向你，朝你狂奔过来，你的脑子瞬间一乱，心跳加速……

忙活了一整天！终于到家了，然而，面临的又是爸爸妈妈的一顿唠叨……

“今天在学校过得怎么样？”

“考试成绩出来了吗？”

“今天没忘记带运动服吧？”

“做功课去！”

“练琴去！”

你只想稍微放松一下，但你根本没法好好休息，因为他们唠叨得没完没了，让你心跳加速，脑子里乱成一团，还有……为什么你大脑的思维和心脏的跳动会因为外界的原因而受到影响呢？这其中有什么奥妙吗？

你的大脑中究竟发生了些什么?

那应该就是我们说的“压力”了。你应该经常听到大人们提起压力，但其实小孩子也会有压力。

压力是你的思想和身体对精神和情绪的反应。当你有一大堆事要做，却又不知道从何下手的时候；或者当你遇到难题，不知道如何解决的时候；又或者你身处山洞中，却发现洞口守着一只剑齿虎，若不赶紧想办法就会小命不保的时候，你就会感受到压力了。最后一个例子恰恰说明了感到压力有时未必是坏事。

压力来自一个看不见的世界，而且就在你体内，为了求生，它逼着你行动起来。如果没有压力，那么洪水猛兽来到面前，张着血盆大口要把你吃进肚子时，你都不懂得逃跑呢。要真这样，人类早就灭绝了。

面对**危险**，人类（还有其他动物）在进化过程中演变出了一种化学反应，叫“战斗或逃跑反应”。简单来说，身体会自动将所有精力集中在应对摆在你面前最为严峻的即时威胁上，即让你决定到底要去跟剑齿虎肉搏还是赶紧逃命。

当身体处于压力状况下时，会释放出一种压力激素帮你渡过难关。主要的压力激素有肾上腺素和皮质醇，在紧要关头，它们会成为帮助你活命的好朋友。

患难之交

肾上腺素你应该听着不陌生了，因为**职业运动员**经常提起这个名词。

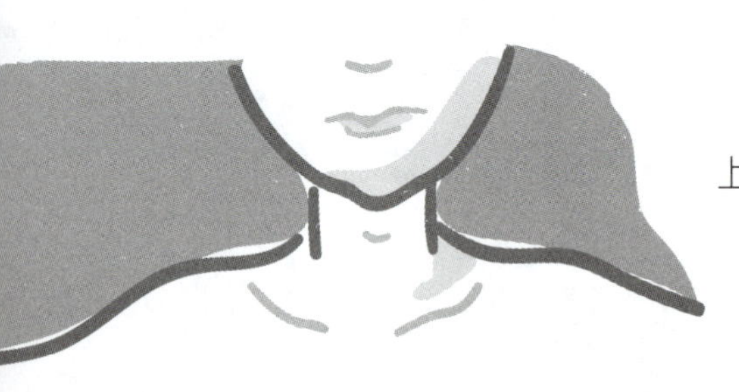

位于胸腹中部、肾脏上方的肾上腺分泌出了肾上腺素。

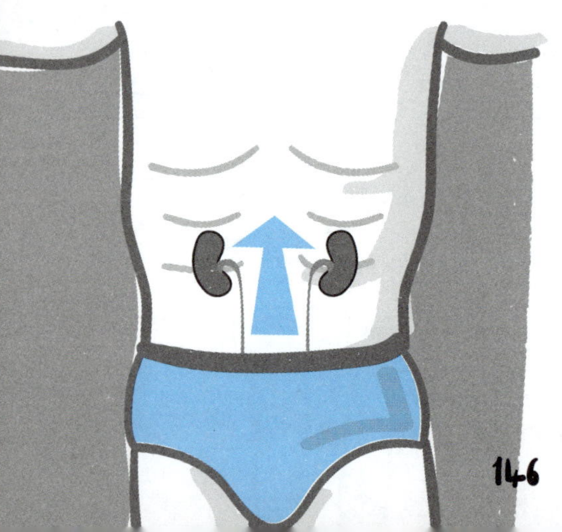

肾上腺素会导致**心跳加速**，这意味着血液流经你全身的速度也随之加快，为你的肌肉运动提供一切所需，比如，**氧气**和能量。这样它们才能帮助你逃跑（**不过，如果对方**

是一只体型娇小的迷你剑齿虎，不妨一搏）。

相比肾上腺素，皮质醇的知名度就没那么**高**了。你很少会听到职业运动员提起这个词，**但它的重要性却绝对不亚于肾上腺素。**

皮质醇负责增加血液里的含糖量，含糖量的高低直接关系到身体可使用的能量的多少。同时它还在紧急关头协助人体决定哪些人体功能是至关重要的，然后抑制其他不重要的功能的运作。举个例子，像**消化系统**和**免疫系统**（身体抵御疾病的防线）在大部分时间来说都是非常重要的，但对于帮忙从剑齿虎的**尖牙利爪**下逃生，或让你进入作战状态来讲却一无是处，所以在这种情况下，消化系统和免疫系统可以歇一歇，节省点能量了。

危机关头，这些压力激素流经全身，帮助你把该做的事做完，让你脑筋转得飞快，让你的运动能力变强、反应速度加快。

一旦危机解除，你却没办法跟激素说："行了，下班吧。"这时候便会出问题了。

例如，皮质醇会抑制你的**免疫系统**，毕竟免疫系统面对剑齿虎的攻击时没什么实际作用，但这种抑制作用在危机解除后还会持续好一段时间。这就很好地解释了压力一大，你就很容易感冒的原因。

经历了有压力的一天后，你浑身都可能充满着压力激素，这时候做一些能让自己放松身心的事会有助你恢复。跟爸爸妈妈说，这是有科学依据的，必须这么做。

你得好好休息。

应该怎样休息才好呢？抱着你的小猫或小狗窝在沙发上怎么样？不少人发现，和动物在一起让人感觉非常放松。这其中的一个原因是：你的身体会分泌更多的激素！

这时分泌的激素可不是压力激素了，而是另一种能让你冷静和放松的激素。

当你抚摸着**心爱的宠物**，或给你喜欢的人来一个**熊抱**时，都能促进你的身体分泌“催产素”。催产素是一种与爱有关的激素，由脑下垂体（在你鼻子后面豌豆大小的器官）分泌。因为它产生的作用，催产素又被叫作“爱的激素”或“拥抱激素”。

催产素也是很了不起的激素。体内催产素越多，就越会促进身体分泌更多的催产素。这种机制叫“正反馈机制”，它是这样运作的：

抱抱你的小狗——脑下垂体分泌催产素让你感觉内心温暖平和——这种舒适的感觉让你忍不住更多地抚摸你的小狗——这使你的身体分泌更多的催产素——让你感觉内心更加温暖平和——这让你忍不住继续

抚摸你的小狗。

肾上腺素的分泌，让你远离压力的源头，好让身体尽快摆脱对它的依赖；而催产素则恰恰相反，由于身体喜欢催产素，因此催产素越多，我们就会感到越舒适。

但如果你没有宠物呢？或者你的宠物不能爱抚，比如金鱼——千万别伸手去摸金鱼！——那又该如何是好呢？

听听自己喜欢的**音乐**吧！忙碌了一天后有哪些更好的放松方式呢？听音乐是一种很不错的压力缓解方式。科学家通过研究发现，跟爱抚宠物一样，听音乐能让人体分泌让你感觉良好的激素，比如，催产素和一种叫多巴胺（听起来好高级的词——马上给你解释）的神经递质（听起来有点复杂——等一下也会给你解释）。

我们在书里已经提到过好几种激素了。还记得前面讲的，提醒你吃东西的饥饿激素，还有让你睡个好觉的褪黑激素吗？或许你记不得了，但我敢保证，你肯定记得肾上腺素，就是那个当你遇到可怕的巨大的剑齿虎时，告诉你的身体赶紧逃命的激素。

激素是由人体中一个个叫“腺体”的小工厂里生产的，并随着血液流经全身。

“神经递质”是人体里另一种化学信使，但这种化学物质是由名为“神经元”的神经细胞分泌的，而且这种化学信使可以通过神经系统传输。神经系统有点像体内的电话线，让你的大脑和身体各部分进行沟通。

奖励时间到！

通常在收到有价值的奖品时，身体如获得食物、金钱，或得到充足睡眠，就会分泌多巴胺。

我想跟屁股聊聊……
关于放屁的事。

研究发现，人们对**音乐**的反应与这种状况有点类似，当想起一首自己喜欢的音乐时，体内的多巴胺**含量会上升**——这跟你吃到自己喜欢的食物时的反应是一样的。身体知道有好事要发生，所以慷慨地奖励你一剂多巴胺——一种让你感觉良好的化学物质。

有趣的是，面对意外惊喜，人体会释放更多的多巴胺，所以当突然从电台听到自己喜欢的歌时，你会比自己有选择性地播歌来得**更加开心**；吃饭也是这样，第一口吃下去的感觉是**最香的**。有一个行业，对于如何刺激你身体分泌更多的多巴胺是非常在行的。等一下当我们说到游戏手柄的时候再跟你说……

一切都如此美好，

直到……

一切都那么美好！逗着猫，摸着狗——再次强调，千万别去摸金鱼——听着喜欢的歌。整个人仿佛浸润在催产素和多巴胺中……但是……老是有些**琐碎事情**在脑子里烦着你……

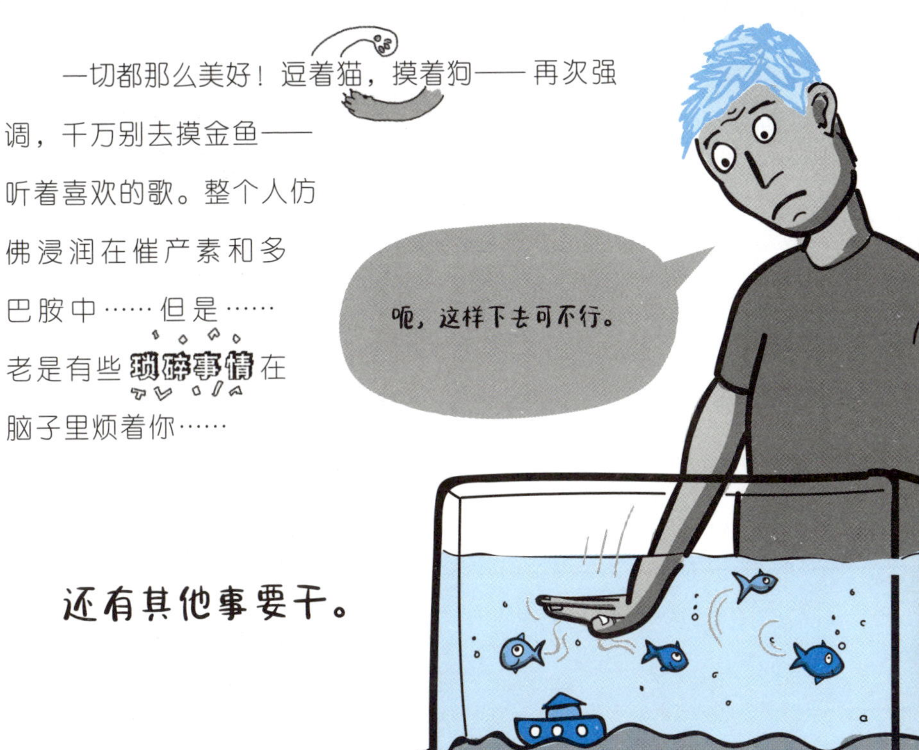

还有其他事要干。

烦人的琐事开始让你心神不宁……功课……还是得做的……晚会儿再做吧……再听一首歌？……不行！还是得赶紧做完……早做完早轻松……做完了就不用烦了……

可你还是坐在那里，歌曲听完一首又一首，继续逗着你的猫，却感觉压力越来越大。你还是不想去做那件能减轻你压力的事——做功课。

这就是“拖延症”，每个人都有，但为什么要拖拖拉拉呢？这又得说到大脑里的化学物质了。

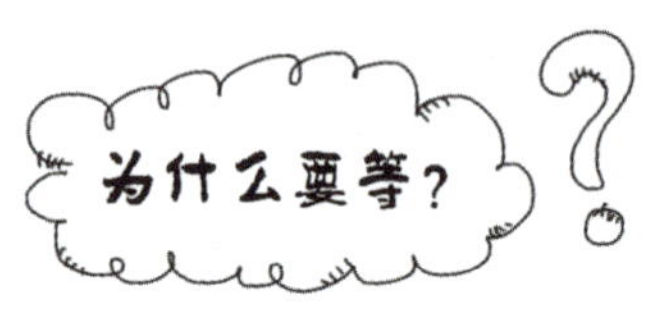

你心里很清楚，一旦功课做好了，心里就舒坦了，但为什么你就是不能马上行

动起来呢？答案就在你大脑中一个叫“边缘系统”的地方。

去不去做功课，是由你的前额叶皮质决定的。前额叶皮质负责计划你要做的事情，例如，什么时候去做功课等。

当你做完功课后，边缘系统负责让你自我感觉良好，有成就感。

而拖延的问题在于，不管你选择继续听歌，还是做任何其他阻碍你去做功课的事，边缘系统都会给你再来一剂多巴胺。多巴胺让你自我感觉良好，缓解了你要去做功课的压力感，所以你会选择继续听歌。这样，又会产生更多的多巴胺，形成一个**无限循环**。

另外，前额叶皮质也存在一个问题，那就是它没办法让我们按照它的指令办事。我们可以直接把它忽略。你的前额叶皮质知道该做什么，也希望能把事情做好，可大脑的其他部位却只想维持现状，好好享受，所以你就一直拖延着了。这叫“**短期情绪修复**”，是一个很难攻克的循环。

人们到底有没有办法克服这个困难呢？你可以的！谢天谢地！要是没办法渡过这个难关，人类可能会整天捧着平板电脑舒舒服服地坐着，看好玩的宠物视频，两耳不闻窗外事了。不过这么说也不完全准确，因为如果真的彻底克服了，就不会有这些事发生了——人们发明了平板电脑，创造了视频网站，驯服猫咪在钢琴上行走，并且乐在其中。

我们很可能还停留在史前人类的水平，做着那些曾经让史前人类自我感觉良好的事情——不用出去打猎，而是洞壁上多画些让后人摸不着头脑的壁画吧。

所以，你需要的其实是……时间旅行！

我没听错吧！可能吗？当然**不可能**。为什么呢？瞧瞧，你都不肯把屁股从沙发上抬起来去做作业，还提什么捣鼓时间机器呢。

别慌，其实用不着货真价实的时光机。心理学家之所以起了“**时光机**”这么振奋人心的名字，是为了让**解决方案**听起来厉害一点，会引发人们对“穿梭时空旅行”的美好想象。心理学家给拖延症患者的建议是，想象一下事情做好之后的那种舒畅的感觉。比起看一段你喜欢的娱乐节目，把该做的事情做好，不但可以让你的大脑分泌更大剂量的多巴胺，而且还能把你因为不想开始着手干活而产生的焦虑感消除。

除此之外，你还知道哪些有效的办法吗？逼得你爸爸妈妈冲你**发火大喊**，最终他们的音量会把音乐的声音盖过。这样你就什么都听不见了。

不过，你今天的作业也只不过是看几页书而已，而阅读本身就是很**神奇**的事情。

翻开书吧！

就是你现在正在做的事情——阅读，它到底是怎么回事呢？

书上的字是怎样教会你**学问**的？这些文字又是怎么回事？这些几个月前，甚至几年前被别人打进**电脑**里的黑色符号，你是如何将它们解码，并理解它们的意义的？

阅读的一个神奇之处，是在阅读的过程中仿佛同时发生了心灵感应和时间旅行。我脑海中出现了一些想法，所以我把它们写下来了，而你在几个月后，甚至多年后，把我写下来的文字进行解码，就可以确切地理解我当时脑海里的想法了。

读懂一切！

在阅读的时候，你能感觉到眼球在不停运动，一般来说，是从左到右的。不过，中国古典的牌匾文字是从右向左读的，还有某些古籍，你可能得从上往下、从右向左读。在阅读的时候，眼球会前前后后地运动，无意识地检查你有没有漏看任何细小的符号。

书页反射过来的光线透过眼角膜（眼球前端一层透明的、黏黏的、往外突出的薄膜）射进瞳孔，光线经过晶状体和玻璃体集中在眼的后壁，即视网膜上。视网膜上布满了对光**非常敏感**的神经细胞，分别是视杆细胞和视锥细胞。这两种细胞数量非常多——人的一只眼睛大约有1.2亿个视杆细胞和700万个视锥细胞。

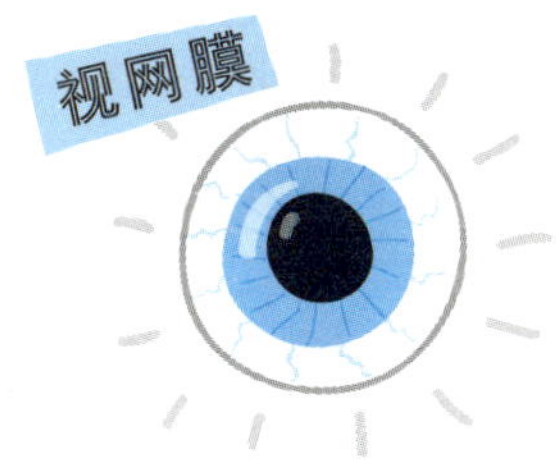

视杆细胞和视锥细胞是非常独特的神经细胞，它们负责将光线转化成电脉冲，即电神经信号。

视杆细胞对**黑**与白相当敏感，同时，对辨识物体的形状和外形起着重要作用，譬如，这是一本书，还是一个单词里的其中一个字母。

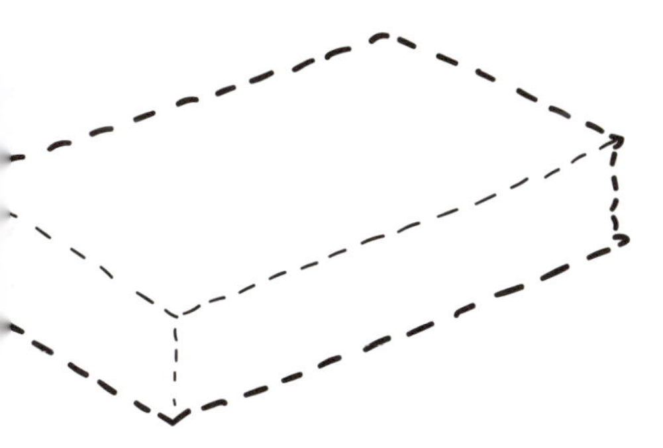

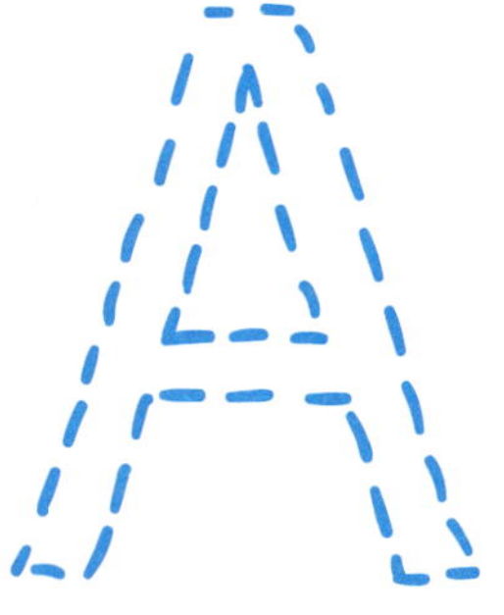

视锥细胞对光线的颜色很敏感，具体来说是对三种颜色很敏感。视锥细胞有三种类型，分别能让我们看到红光、蓝光和绿光，而这三种光组合起来，我们就看到了**彩虹的所有颜色**，以及各种微妙的中间色调。

视杆细胞和视锥细胞发出的**神经信号**通过视神经传到大脑后，大脑便会将这些信号解读成图像。大脑时时刻刻都在替我们翻译这些信号，因为只有把信号整理归类，我们才能看到清晰的图像。

正是由于光线通过**晶体**投射在视网膜上的这种方式，刚开始时，这些图像都是颠倒的。

这其实才是我们真正看到的世界。拿起一只勺子，从后面能看到自己的倒影，这就是你的眼睛看世界的方式，区别就是，勺子的中间是**鼓出来的**，让你的鼻子看起来很大、很滑稽。

所以，说不定，只是说不定哦，这世界其实本来就是**上下颠倒**的，而我们看到的一直是反着的。

傻孩子，当然不会了，因为我们还有其他感官帮助我们判断方向。我们不需要睁开眼睛去看，也知道哪个方向是向上。举起手臂，感觉一下地心引力把你的手往哪个方向**吸**就知道了。

所以，感谢大脑的干涉，帮我们把图像反过来，让我们看到该在上面的在上面，该在下面的在下面，让我们知道该怎样才能稳稳当当地把一杯水放在桌子上。

你可以试试戴上特制的**眼镜**，在光抵达眼睛之前，镜片就已经把图像**倒转过来**了。

当图像抵达眼睛后，眼睛像往常一样给大脑发出信号，大脑便自动地把图像倒转过来。这一次，我们就真的看到上下颠倒的世界了！哈哈！接招吧大脑！你被我们愚弄了！只不过……如果你连着十天看着上下颠倒的世界，（敲黑板画重点了）此时人体所有其他感官每时每刻都在告诉你哪个方向才是上方，那么你的大脑便不再把图像颠倒了。这时你又能看到正常的世界了，即使实验终止，你把眼镜摘掉，想再骗大脑一次，也已经行不通了，只用一天，你就能看到正常的图像了。大脑还是相当聪明的呢。

说了那么久，阅读到底是怎么回事呢？

科学家研究人类到底是怎么阅读的时候发现，实际上，我们的大脑辨认书上的文字，跟辨认图片是一样的模式。当眼睛发出的电脉冲信号传到大脑后，这些信号在大脑一个叫“视觉词形区”的地方内进行加工，这个区域位于左耳后方。当你还是个小宝宝的时候，大脑的这个部位帮你辨别形状，辨别人们不同的面孔。随着你开始看书识字，这个部位便负责辨认字体形状，并将字体形状和它们的意义串联起来。

想知道大脑中的形状识别器有多厉害吗？你念念下面这段话看看：

The fnuny tihng aoubt raednig is taht you can sitll udnrestnad wrdos eevn wehn tehy are all mddueled up.

阅读有趣的地方在于，就算这些词语的顺序被打乱，你依然能读懂它的意思。

那句话的顺序被弄得乱七八糟的，而且还有不少错字，但你一下子就读懂了它的意思，因为上面拼错的单词中，**词首**字母和**词尾**字母是对的，只有中间部分被打乱，你的大脑能直接把错误的部分忽略掉，而只去辨认正确的部分。

我们能读懂不同的字型、字体、手写体的文字，也是同样的道理，除非那人手写的字真的潦草得像**驱魔符**。

说这么多，其实想表达的意思就就是大脑很聪明。聪明到它可以毫不犹豫地跳过多出来的那个字——就像这段话中的第一个句子

那样。你留意到多出的是哪个字了吗？

（这一句故意多写的是“**就**”字）

听到我说话了吗？

科学家还发现，在你根本不需要开口的情况下，阅读能把所有书面文字转化成有声读物。

在对清醒的患者进行脑部手术时，科学家们进行了实验。（请慢慢消化这句话。患者在接受脑部手术的时候，是——清——醒——的！！）

脑外科医生，又称为“**神经外科医生**”，在患者清醒的情况下给他们进行脑部手术，这样他们就能观察到患者大脑的反应了。他们会在进行手术时问患者问题，让患者进行脑力劳动，甚至让患者演奏乐器！通过这样的操作，医生在进行手术时，就可以避免对患者大脑控制重要行为（如演讲或运动）的部位造成伤害。

这些实验发现，当患者被要求去阅读文字的时候，不管他们是大声朗读，还是默读，大脑活跃部位是一样的，而这个部位，叫“**布罗卡氏区**”。它位于大脑前侧，与言语能力相关。当人们阅读时，布罗卡氏区对文字的反应，就好比你把看到的文字**直接念出声**。

现在，我知道你能听见我说话了…… 想玩游戏吗？

这是你做完功课能够得到的奖赏，要是有谁问起，就跟他们说，我们这是在研究大脑呢。

我爱打电子游戏。

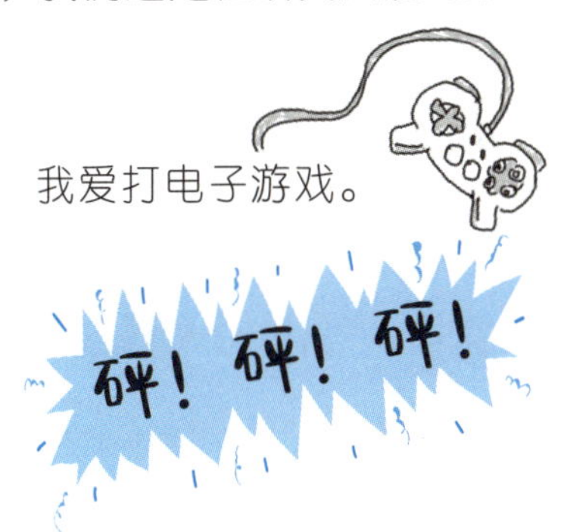

在电子游戏的世界里，足不出户，你就能做各种各样的事。你能勇闯未知的新世界，极速飙车，甚至踢场**世界杯决赛**。当然，这些都是在**虚拟世界中**实现的，但打电子游戏给你带来的刺激和兴奋的感觉跟真实世界没什么两样。如果你对这个对比有**意见**，就等你长大了去**开赛车**，或是**踢赢了世界杯**，或是真的去勇闯新世界的时候再来反驳吧。

电子游戏是先进的科学技术和尖端的脑科学相结合的成果，它的作用是尽可能地给玩家制造足以以假乱真的体验。现在的电子游戏机可厉害了，电脑的“大脑”，简称CPU（中央处理器），每秒计算速度高达2000亿次，其中，大部分计算用在制造模拟现实世界的场景上，所以你能在逼真的游戏场景中四处张望，寻找哪里有外星人。

游戏手柄所使用的软件也是非常厉害的。只要把手柄倾斜一下，就能控制车子顺利地溜个急弯。这里需要给手柄装一个加速计——这是一个听起来很厉害的词汇，其实，它只是一个负责感应方向变化的小小部件。

从某种程度上说，这跟我们的感官告诉我们哪个方向是向上的没什么太大区别。我们的耳朵里有一个叫“半规管”的器官，就是，咳咳……一个围成半圆形的装着液体的管子。

每只耳朵里有三根规管，因为我们身处在一个**三维世界**里，需要向上向下、向左向右、向前向后地运动，甚至是多于一个方向的结合，所以，一根管子负责判断向上还是向下，一根管子负责判断向左还是向右。另外，还有一根，我不用说你也知道它是判断哪个方向用的了……

同样，游戏手柄里的**加速计**在你倾斜或旋转手柄时，能感受到方向的变化，知道你想朝哪个方向移动，从而让你控制游戏里车辆的行驶方向。

要是把加速计放在头戴式虚拟现实眼镜里，那就更厉害了。在虚拟现实眼镜里，两只眼睛前各有一个屏幕，**图像**会随着你头部的运动而改变。你一抬头，电脑就会根据抬头的速度为你展现相应的画面。现在，你的耳朵和加速计在进行同步的运动，可这却会造成一个大问题……

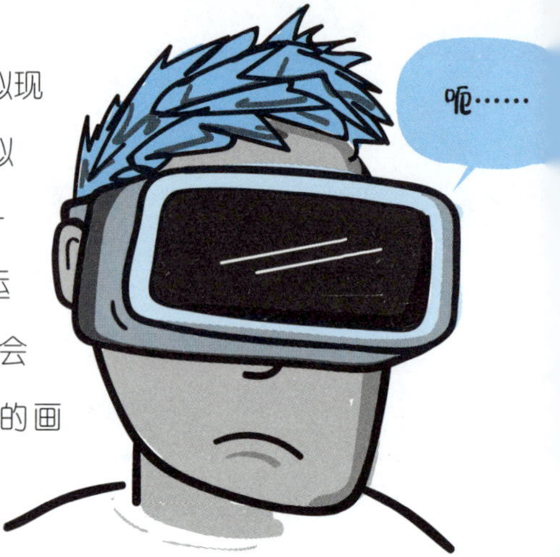

呃……

如果加速计的反应不够灵敏、不够准确，那么你的眼睛所看到的屏幕画面，就会跟你耳朵听到声音后给大脑传达的信息有出入，而当你看到的和感受到的不同步的时候……你就会感到头晕，甚至有**呕吐**的症状。如果出现这些**不良反应**，那么想在游戏中拿高分可就成问题了，而且你家沙发也会遭罪。屏幕显示的图像要怎样的反应速度才能与你耳朵听到的一致呢？只要图像比声音慢千分之五秒到千分之十秒，你就有可能产生不适。这一点点时间上的差

我的晚餐来了……

异，小到你可能根本没有注意到，却足够引起你的不适。

2—12岁的孩子对这种细微的差异感觉特别明显，这对你来说或许是个坏消息，但随着年龄增长，这种状况会改善许多。

这种科技很**酷炫**，那么它对你的大脑有什么影响呢？

身边的大人肯定经常对你说，整天打游戏对身体不好，会让脑子变迟钝，还会导致

视力受损。

E 山 ヨ m

打游戏一定会造成可怕的后果吗？

大多数人觉得，打游戏长时间**盯着屏幕**，一定会对眼睛不好，有百害而无一利。事实真的如此吗？神经学家们真的去研究了这个文题，却得出了出人意料的结果。神经学家将受测试者分成两组，一组完全不打游戏，另一组每周打游戏15个小时。他们居然发现，打游戏组的视觉敏感度比不打游戏组的要好很多。难道是因为他们在游戏中得时时刻刻观察敌情，而练出了“**火眼金睛**”吗？

其实这项研究的意义在于，科学家试图开发出新游戏来提高老年人的视觉敏感度，或用于弱视眼的恢复训练，并不是鼓励大家都去玩电子游戏！

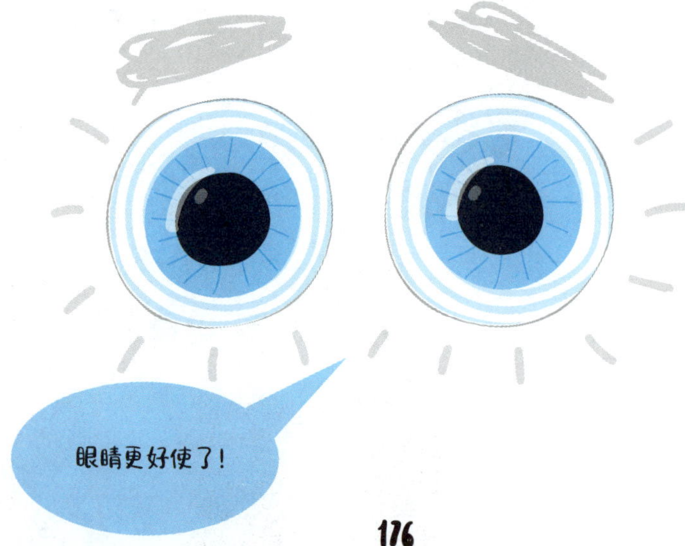

打电子游戏会让你专注力下降吗？

也不会！科学家们也正儿八经在**实验室**里做过实验了（他们有专门用来评估专注力的测试），结果发现打电子游戏的玩家，比不打电子游戏的人专注力强。科学家们甚至还对受测试者的大脑进行过扫描，发现打游戏的人跟不打游戏的人相比，大脑中与专注力相关的部位明显更加活跃。

但是不得不提，打游戏会让人上瘾！因为你大脑中的奖励中心是与拖延相关联的。打游戏的时候，大脑**分泌出**让你**开心**的化学物质，让你忍不住一直玩下去。游戏设计者深谙其道，会故意在游戏里设置各种元素刺激大脑分泌让你开心的化学物质，好让你停不下来。

你有没有留意过游戏会定期推出各式各样的奖励？奖金币、奖升级、“解锁”新装备，“叮——叮——叮”地响个不停。这一切都是为了刺激多巴胺的分泌，让你不停感受到打游戏带来的成就感。打游戏能够有成就感，那是因为游戏设计本来就是为了让你能产生成就感。

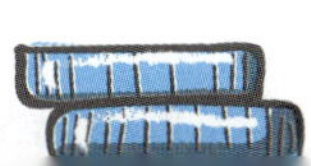

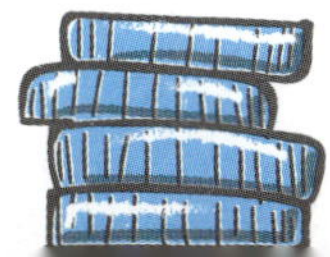

 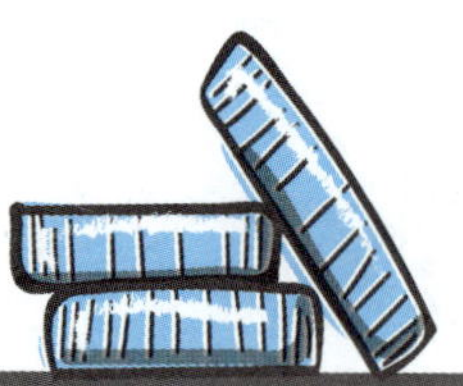  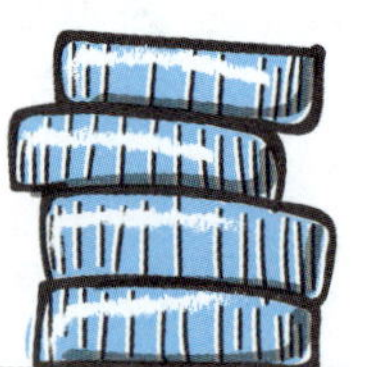 

也许你以为终于找到可以沉迷打游戏一整天的理由了。你有了两个借口：让视觉敏锐，能提高专注力，但是你真的应该整天打游戏吗？当然不行。首先，这样会让你体内囤着的大量战斗或逃跑的化学物质无用武之地，这不管是对你的生理还是心理都有很不好的影响。

其次，不管是**打游戏**还是做其他事，如果整天只做一件事，那么坐太久了都不好。

坐了一段时间后，就该出去运动运动，比如，跑步（或者游泳、跳舞、打一场篮球。随便做点什么运动都是可以的），然后，你的大脑又会感激你，给你奖励……

起来，出去走走！

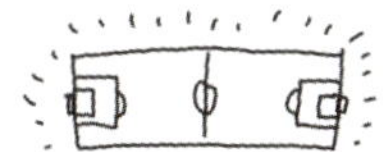

如果你喜欢玩**体育竞赛类**的电子游戏，那么用手指控制**游戏手柄**来踢一场惊心动魄的世界杯决赛，和真实地在球场上跟小伙伴们一起追着球满场跑有什么区别呢？毕竟两种踢足球的方式都能让你心跳加速……

没错，打游戏时感受到的兴奋是真实的：游戏玩得好，身体就会分泌激素和神经递质，从而让你**心跳加速**，玩得更溜，但这跟

你在球场上跑20分钟导致的心跳加速是两回事。

体育锻炼能促进你的肌肉生长并锻炼耐力。在这个过程中，你的心脏肌肉也会得到锻炼。强健的心脏肌肉能加快泵血速度，为卖力工作的其他肌肉提供支持其运动所需要的一切营养物质，如糖和氧气。

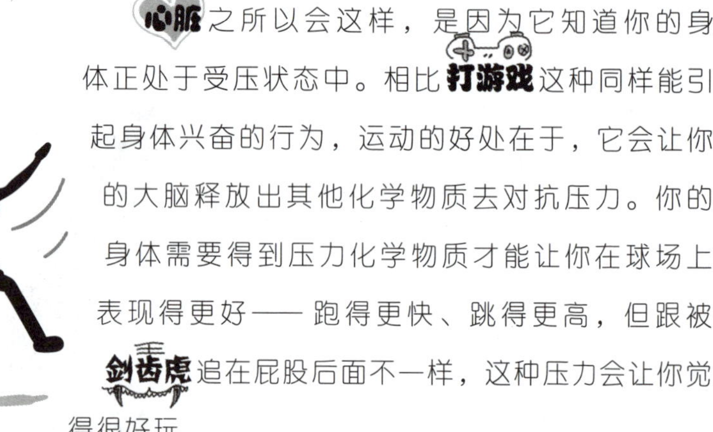

心脏之所以会这样，是因为它知道你的身体正处于受压状态中。相比打游戏这种同样能引起身体兴奋的行为，运动的好处在于，它会让你的大脑释放出其他化学物质去对抗压力。你的身体需要得到压力化学物质才能让你在球场上表现得更好——跑得更快、跳得更高，但跟被剑齿虎追在屁股后面不一样，这种压力会让你觉得很好玩。

你的身体自然会知道这是对其有好处的，所以会对你的卖力付出给予**奖励**，释放出奖励化学物质，例如，一种叫脑源性神经营养因子（以下简称“BDNF”）的**蛋白质**，这种蛋白质比它的名字有趣得多。它们相当聪明，在有压力的时候能够**保护大脑**，修复在大脑兴奋期间变得疲惫的记忆神经元。科学界认为，BDNF就是你在畅快地做运动之后感觉身心放松的原因。运动时你的身体会承受压力，但同时也会进行**自我修复**。

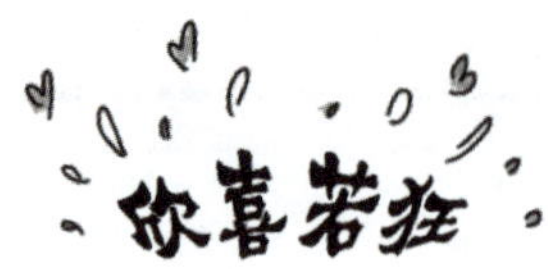

你或许还听说过另一种跟运动有关的奖励型神经递质——**内啡肽**。身材健美的人嘴边总是说什么“内啡肽快感”，那是他们在**高强度运动**时感受到的快感。

基本来说，人的身体就是为运动设计的。它得通过运动保持健康状态，所以你努力运动的时候，它会把内啡肽作为奖励给予你，减弱痛感（运动太激烈是会带来痛感的），让你感觉**心情舒畅**。谁不喜欢**快乐**的感觉呢？

不仅如此，科学家们研究发现，锻炼身体能让你的身材变得健美，提高对疾病的**抵抗力**，增强**自信心**，也能让你保持愉悦的心情。别担心，如果你觉得在打游戏的时候会失去体内的“战斗或逃跑”化学物质，那就在打游戏的同时往花园里放一只剑齿虎吧。

这**够刺激**了吧？

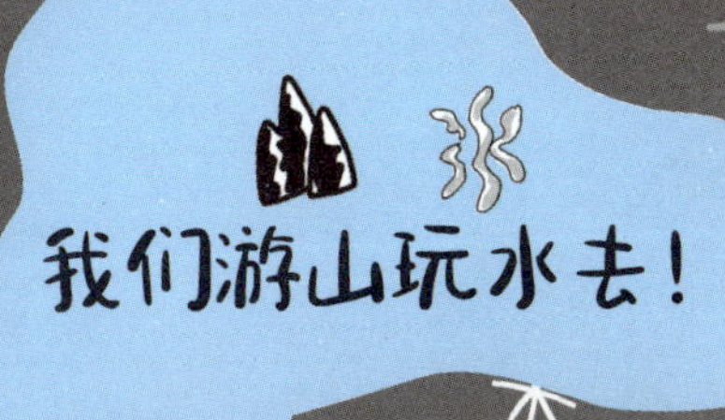
我们游山玩水去！

我们每天的日常真的是太“日常”了，不是吗？

既然每天都是大同小异的，那么为什么不干脆就在今天，干点什么……不同寻常的事呢？要不咱们今天就不坐公交车上学了，坐飞机怎么样？

舒舒服服地坐在飞机的座位上，想着等一下要看哪部电影，脚随意地**踢着**前面的座椅（这样做是不对的）。

试一下能不能把带在身上的杂物都塞进前面的松紧口袋里，再想想一会儿的飞机餐是选择吃鸡肉还是吃鱼肉呢。这个时候，你其实应该花那么一点点时间去想想：飞机这种交通工具，是怎样一个**奇迹**呢？

环顾一下四周，看看飞机上的其他**乘客们**！如果你坐的是一架巨型珍宝客机，那么跟你一同登机的乘客可能超过400人呢！所有人都坐在一个由金属砌成的箱子里，以每小时930千米的速度，在距离地面1万千米的高空上飞行。整架飞机的总重量可能超过400吨呢！嗯……让我算一下……这得相当于多少头大象的重量啊？但跟大象不同的是，它能**飞**上天哦！

飞机起飞了！

那么，飞机是怎样飞上天的呢？虽然引擎功不可没，可若要一飞冲天，靠的就不是引擎了。就算你把飞机引擎绑在自行车上，自行车也不会飞上天，只会往前冲得飞快。

飞机引擎和汽车引擎的**基本原理**是一样的。还记得前面讲过的，如何通过**引爆**浮游生物让汽车把我们送到学校吗？飞机引擎同样将空气与汽油进行混合，点燃燃料，释放能量，推动飞机前进。只不过规模要大很多。

飞机前方的**螺旋桨**把冷空气吸进引擎。

第二个**螺旋桨**将空气**压缩**到原本体积的1/8，这会让空气温度大幅升高。压缩气体其实就是缩短空气分子之间的距离，这也就意味着它们的**摩擦频率**大幅提高，而摩擦自然会生**热**。

同时，一种叫作“煤油”的燃料会被注入燃烧室中，与炙热的压缩空气混合，然后，砰！煤油**爆炸**并开始激烈地**燃烧**。

煤油燃烧时产生的炙热的混合气体包括二氧化碳和水蒸气等。

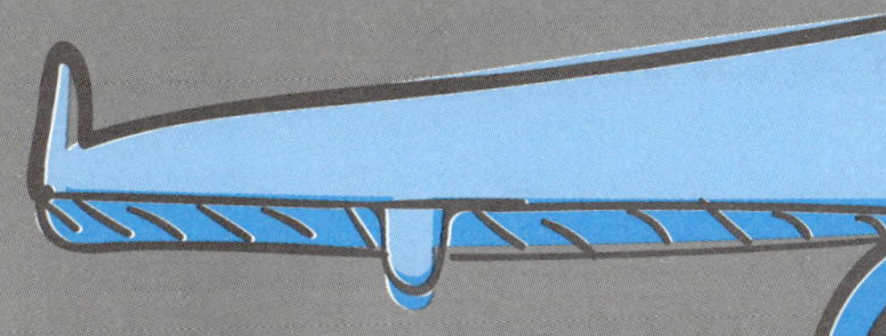

这些炙热的混合气体通过涡轮旋转冲出燃烧室，在这个过程中，气体会被冷却，通过引擎尾部一个非常小的开口从引擎中喷射出去。就是这道喷射出来的气流推动了引擎，使飞机向前飞行的。

感受力的作用！

你和弟弟在花园里玩，旁边的爸爸拿着长长的软水管浇花，他刚好手上要干别的事，就让你帮忙拿着水管，还特别叮嘱你：“别往你弟弟身上喷水呀！”你弟弟现在毫无防备，正是喷他一身水的好时机！不过他站得有点远，所以你将大拇指压在水管末端的出水口上，让出**水口变小**，水喷出来的时候压力更强，冲着远处的弟弟，喷了他一身水。其实，飞机引擎也是这么个原理。

气体从引擎**喷出**时的速度是进入引擎时速度的2倍，正是速度的提高推动了飞机前进。

真是太厉害了！我们以惊人的速度在跑道上猛冲，渐渐离开地面。飞机脱离跑道安全起飞的过程到底是怎么样的呢？

机翼运作的原理：给父母和老师的一道题。

引擎推动飞机前进，但让飞机起飞的却是机翼。飞机在跑道上达到一定的滑行速度后，机翼就开始**把机身托起**。工程师在设计机翼的时候，就是为了让它们腾空而起的。

在详细解释机翼的腾飞原理之前，先来看看飞机飞行的环境是什么样的。我们经常会忽视，其实人类都是生活在一片空气的海洋里的。这片海洋，叫**大气层**。在你头顶正上方，大气层最高处能达到120千米。在这个高度，下降中的飞机开始会感受到经过大气层时带来的摩擦，也就是“**燃烧**”。任何时候，我们头上其实都顶着成吨的空气，只不过你感觉不到丝毫重量，因为这些气体并不是同时一下子往你身上压下来，而是在四面八方分散流动着。

压力还是有一点的，只不过我们都习以为常，感觉不到了。实际上，如果你体验一下潜到海里10米深的地方，就会感受到倍增的压力了。即在海水深10米的地方，你能感受到整个大气层的压力。

不管怎么说，我们都是徜徉在**空气的海洋**里，而飞机就是利用空气推动自己从地面起飞的。

不少人都对机翼的运作原理有误解，所以你可以利用这个绝佳的机会考考大人们。在认识的长辈里，你觉得哪一位知识最渊博？不妨问问他/她：***机翼是怎么运作的？***

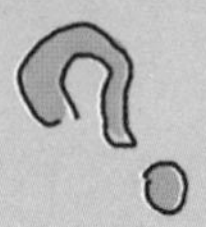

或许有人曾这么跟他们说：“机翼穿过空气的时候，把空气劈开，分成两部分，一部分在机翼**上方**，一部分在机翼**下方**，就像这样。”

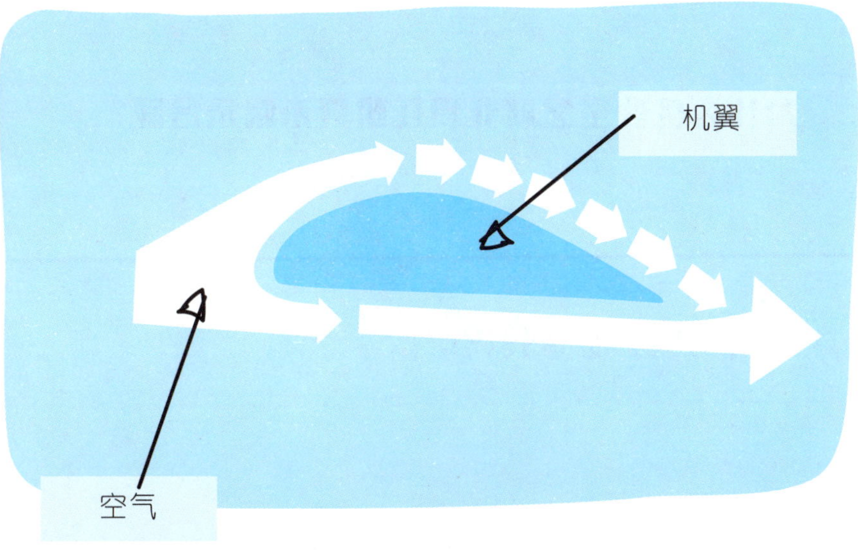

机翼

空气

机翼的形状决定了机翼上方的空气比机翼下方的空气移动的距离更长，为了能让两股空气在翼尾处再次**相遇**，机翼上方的空气必须加快速度。这样，机翼上方的空气比下方的空气的移动速度更快，这也就意味着，机翼下方的气压比较大。这样就导致机翼往气压低的地方“上升”了。

当你说完这一大通，爸爸妈妈可能会**搓搓手**，似乎在说：“**哎，终于讲完了！**”这时你就可以问：“机翼上方的空气移动距离更长，那又怎么样？为什么机翼上下的空气一定要再次相遇呢？这些自由的空气分子，一个个都是单独的个体，碰巧挨在了一起。难道它们是朋友？难道它们预约了座位一起**吃午饭**吗？”

为什么这些空气就非得在机翼末端集合呢？

为什么呢，爸爸妈妈？

大人们会被你问得哑口无言，只能“嗯嗯啊啊”地应付一下，然后就催你赶紧上床睡觉，或者让你一边儿玩去。

您可能不想知道这些……

空气分子一心想着要在机翼后方和同伴们再次相遇，是其中一个误导了一代又一代人的奇怪理论。你仔细想想就知道，虽然这听起来理所当然，可是机翼上方的空气并不知道下方的空气发生了什么，因为它们是不相关的。

在机翼下方，因为机翼角度不一样，所以空气会被往下压，尤其是在机翼末端部分，而机翼上方的空气则顺着机翼隆起的部分向上移动，然后再加速冲下坡。

结果就是不管是机翼上方还是下方的空气，都是俯冲的，制造了一股强烈的“下冲”气流，而有往下冲的力，就会有向上升的力。被向上抬升的就是机翼，于是它就起飞了，带着飞机一起冲上云霄。

机翼就是用来飞的。

当飞机爬升到巡航高度时，周围空气变得稀薄，而飞机周围空气变少了，就意味着气压降低，多多少少会给你的旅程带来影响，甚至某些时候还会让你感觉不太舒服。

我们刚才说过，在地面行走的时候，你或许不会感受到身边气体的压力，为什么呢？虽然整个大气层的气体（这气体量是非常可观的）时时刻刻往你身上压，但这个气压正好能让你舒畅自如地呼吸。

当你乘着飞机从海平面的高度往上升时，气体密度越来越低，气压越来越小，因为越往高处，向下压的空气就越少。

这就会导致那些里面装着空气的空间出问题，例如，你的耳朵。随着飞机起飞，你的耳朵或许会有奇怪的感觉，甚至会感到**疼痛**。这是因为耳朵里的空气在**挤压着鼓膜**。耳内大气压依然维持着海平面的气压值，比耳外大气压高，因此，就会把鼓膜往外推，导致你的耳朵感到疼痛。

感受挤压！

要解决这个问题很简单，你可以捏着鼻子，闭上嘴，鼻子轻轻**喷气**。这会让肺部的气体冲进咽鼓管。这条窄窄的管道位于鼻子后方，与内耳相连，帮助你调节耳内外气压的平衡。

飞机降落的时候，这种感觉会再次出现，但这一次，鼓膜被挤压的方向与起飞的时候**恰恰相反**。随着飞机接近海平面的高度，气压会上升，将鼓膜往内推挤。于是，你又开始感觉耳朵痛了。这时你可以大口吞咽口水、抽吸，或是做其他一些让耳朵内**气体流动**的动作，这都可以让你耳朵不再痛。航空公司以前会给乘客发硬糖来缓解状况，虽然这并不能百分之百保证解决问题，但起码你有糖吃呀！

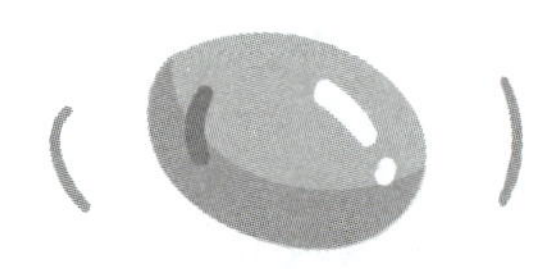

不管坐在飞机上的哪个角落，你的耳朵都会有这种反应，这是无法避免的现象。飞机抵达的高度越高，则机舱外的空气越稀薄。当飞机到达1万米的巡航高度时，要是你把头探出机舱外，那么就根本没有足够的氧气让你活命。只要1分钟左右，你就会陷入昏迷，用不了多久小命就丢了。

所以我们得让飞机内部处于“座舱压力”状态，即在飞机这个金属制成的巨大管状空间里，气压需要维持在能让机舱中所有乘客都可以健康呼吸的状态。这个气压值跟在地面的时候是有一定差别的，否则飞机承受的张力就太大了。飞机抵达1万米的巡航高度时，机舱内的气压值大约维持在海拔2000米左右的状态。

咱们对耳鸣的分析已经上升到新的高度了！

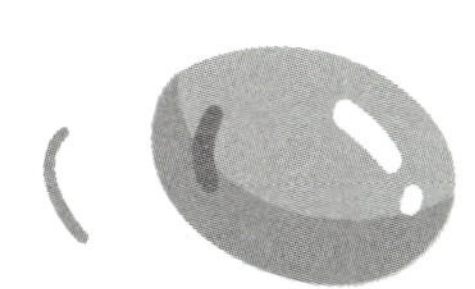

不信的话，下次坐飞机，你可以做个小实验。用塑料瓶装一瓶水带上飞机，飞行途中把水喝光，把瓶盖拧好，放回书包里。待飞机着陆**气压恢复正常状态**后，拿出塑料瓶，看看它是不是向里面瘪进去了。这是因为瓶子内部的气压比外部小很多，所以瓶子被**压扁了**。

既然机舱外部气压比内部小……那么机舱内的**空气**又是从哪来的?

有些人会以为，从我们坐进机舱到飞机着陆为止，一直**循环**呼吸着同样的**空气**。其实不是这样的，机舱内的空气甚至比很多办公室的空气还清新呢！因为机舱内的空气是通过引擎直接吸进去的，从引擎吸进来的空气全部用于引擎内的**小爆炸**之前，会分一部分给机舱内部。

舱内空气的含氧量没有地表空气的含氧量高，所以闻起来有一些陈旧的味道，但保证干净，不像人们想象的那样——认为一路上乘客们只能呼吸不清新的空气，甚至混杂着其他乘客打喷嚏或放屁产生的废气。

或许你会想问，飞机一定要飞那么**高**吗？高度低一些不就省去很多麻烦事吗？飞机以前飞得没那么高，但更高的巡航高度除了让引擎运作起来更有效率之外，还能避开多变的天气。**暴风雨**和变幻莫测的**云**通常出现在空气密度比较高的9000米以下（这个高度称为对流层）的高度。以前，飞机在对流层飞行，所以遇到气流就相当的……颠簸，每一个座椅背面的储物格里面，都会给后面的乘客准备一个长长的纸袋，那叫“呕吐袋”，以备你肠胃不适时所需。

现在**呕吐袋**依然是长途客机上的必备品，时不时的风暴和狂暴气流会让乘客晃来晃去，再加上引擎会将汽油的味道吸进机舱，乘客的**鼻腔**也会受到刺激。

不过现在，我们舒舒服服地在对流层上方飞行，不怎么需要用到呕吐袋了。这些纸袋的作用，无非就是让你忆苦思甜而已。

感受**热浪**！

终于抵达目的地了，好好享受热浪吧。家里可没这么**暖和**！

你究竟去哪里才能体验温暖呢？

这得看你居住在**地球**上的哪个地方以及去哪个地方度假了。

你如果住在英国或爱尔兰，想去比较温暖的地方度假，那么肯定要往南飞了。

英国和爱尔兰在北半球，或者说是在地球的“上半部分”。如果你去往南部，越是接近南北半球的中线——**赤道**，天气就越暖和。赤道是地球距离**太阳**最近的地方，即太阳的热辐射传递到地球上，抵达赤道时经过的距离最短。

当你越过赤道继续往南，再次渐渐拉开与太阳的距离时，**气温也会逐渐变低**。

感受暴晒！

还记得我们之前说的，地球上几乎所有能量的来源都是**太阳**吗？跟其他恒星一样，太阳之所以那么**炙热**，是因为它体积庞大。这也就意味着，所有氢原子都因为重力的作用而聚集在太阳中心，聚变成氦，释放出大量能量，以**太阳光**的形式穿过太空来到地球上。

到温暖的地方旅行时，我们脸上感受到的暖暖的感觉，就是这种能量，即氢原子相互**碰撞**变成氦，释放出的能量。

这种能量以电磁波的形式传递出去。我们之前提到过，电磁波是人的肉眼不可见的，但它每时每刻都活跃在我们周围的电磁场中。

这些电磁波的规模大小有差异，以“光子”或“轻子”的形式一束束地发送出去，但实际上，它们只是在电磁场里不断摇摆着。

如果这听起来让你觉得晦涩难懂，别气馁！科学家们也都花了好几百年的时间才能想通呢，而大多数成年人则到现在也搞不懂这到底是怎么回事。

这些电磁波有不同的波长（短且急的能量值高，长且缓的能量值低），所以它们的物理表现也不一样，即它们各有不同的用处。有的可以通过微波炉帮你加热晚餐，有的则可以通过收音机为你播放喜欢的歌。

这些电磁波的另一个奇妙的用处：你还记得前面我们提到过的光合作用吗？植物可以利用阳光将二氧化碳和水转化成糖。这是地球上一切食物生产过程的第一步。每吃一口饭，你都不得不感叹光合作用的神奇和重要性。

能让你眼睛里的视杆细胞和视锥细胞感受得到的，是可见光。另外还有视杆细胞和视锥细胞感受不到的（看不见的），这是红外线，但红外线携带了更高的热量。

太阳让你感觉暖洋洋的，就是因为红外线的存在。它不会强烈到烧伤你的皮肤，但会让你感觉**发热**和**出汗**。记得多喝水，别让身体**脱水**。

但也不能说**阳光**有百利而无一害，

因为毕竟有一些**光粒子**是可以把你的皮肤烧伤的。

要是暴露在炽热的太阳下忘记擦防晒霜，你会发现皮肤发红、发烫，甚至摸起来会痛。这是由太阳辐射出来的紫外线造成的。我们在防晒产品包装上看到的UV指数，指的就是紫外线指数。

紫外线是我们看不到的光线之一，但储存的能量比红外线要高，可以把皮肤细胞里的分子吓得“瑟瑟发抖”。紫外线波长短、频率高，能让皮肤细胞分子抖得把电子踢出细胞外，甚至把分子与分子之间的**桥梁**给抖断。

皮肤细胞以及身体任何一个细胞的核心部分，是脱氧核糖核酸，即我们经常说的**DNA**。DNA是身体的使用说明书，细胞就是靠它才能知道自己是什么构造。

会被紫外线伤害的分子，正是**DNA**。

当皮肤细胞里的分子被紫外线分解，细胞就会给身体下达指令，让更多血液向皮肤涌过去给其降温，所以你会看到皮肤发红，但如果有时候紫外线太强、破坏力太大，那么会直接要了细胞的命，导致皮肤起水泡和脱皮。

幸运的是，人体有办法自动修复被破坏的

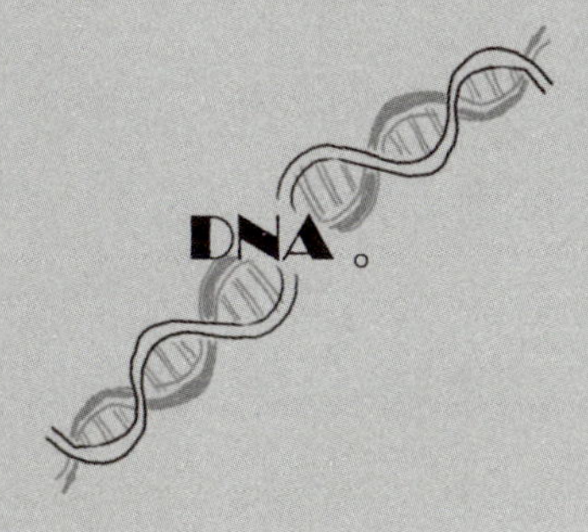

可是如果经常在太阳底下暴晒，那么对DNA的过度伤害则会导致DNA分子序列发生永久性的改变，即“基因突变”。DNA说明书的指令一旦出错，复制出带有错误信息的细胞，则很可能导致非常危险的疾病——**癌**。

好在你的皮肤有一套自己的法子进行自我保护。当皮肤暴露在太阳下时，它会释放出“**黑色素**”，帮你吸收部分太阳辐射。这种色素的颜色会在皮肤上显现出来，所以如果晒多了太阳，那么皮肤会变黑。

把皮肤晒得古铜色其实不是你享受健康假期的证明，相反，那是皮肤受到伤害的表现。这种肤色是身体启动紧急措施自我保护的体现。

肤色深的人比肤色浅的人有更多黑色素，这的确能更好地给皮肤提供**保护**，但不管你皮肤有多少黑色素，你都有被晒出皮肤癌的风险，所以一定要记得**擦防晒霜**。

那如果我们跳进水里呢？跳进水里不就**凉快**了？那肯定能防止皮肤被太阳灼伤了吧？

嗯……

走！咱们潜水去！

没用的，就算你跳进游泳池、海洋或池塘，皮肤是感觉凉快了，但也只是降低皮肤表面温度而已，水是没有办法阻止这种来自外太空的杀手光线对身体细胞进行狂轰滥炸的。更危险的是，你泡在水里的时候，水面**反射**的紫外线也会对你的皮肤造成伤害，加大其灼伤的危险程度。

如果是潜进水里，会安全吗？我想你肯定留意到正常的可见光是能照进游泳池中的。说到照进池底，紫外线可没可见光那么厉害，尤其是在杂质很多的海洋中。所以待在水深10米的地方是相当安全的，但在那里，你能屏住呼吸撑多长时间？你要是没那么厉害，就乖乖上岸把防晒霜抹上吧。

这不是我们第一次提到水深10米了，记得吗？在之前，我们讲到飞机和大气压的时候就已经说过，我们的脑袋每时每刻都在承受着身边空气的压力。如果想要将这种压力翻倍，那么就潜到10米深的水里。120千米厚的气压强度相当于10米深的水压强度。

还没潜到水深10米的地方，你就会像在飞机降落时那样，出现**耳鸣**了。随着外部气压的升高，内耳的气压不足以抵挡鼓膜被往内推挤的力量，于是你的耳朵开始疼痛。潜水员有气瓶、潜水衣、配重腰带以及可在水深200米处运作的高级手表——但要是没办法解决耳鸣问题，他们有再多装备也没用，哪儿也潜不下去。潜水的时候可没人给你发糖吃。

在海里游泳的时候，海浪一波接一波地往岸上拍，你会随着海浪上上下下地浮沉，非常好玩。你有没有觉得很奇怪，尽管海浪是往沙滩的方向扑过去的，你却不会被海浪席卷到沙滩上，只是在水面**上下浮动**而已，挺好玩吧，但好像又有什么东西从你身边经过了，那到底是什么？

波浪是由风引起的，当风吹拂海面时，**空气分子**会把能量传递给水分子，形成波浪。当波浪从大海往岸上运动时，看起来就是海水在往岸上涌——但其实不是这样的。波浪不能像**鲨鱼**那样在海里游，而是以往前运动的能量通过波浪的形式表现出来的，水通过上上下下的运动，将能量一直传递过去罢了。

这也是很多大人们也想不通的事情之一，不过现在你懂了，你可以站在海水里，**感受波浪涌过来**，忽而把你抬起，忽而又将你

放下，转过身去，看着海浪从你身边经过，继续往沙滩上涌过去。

这个过程总该有个头吧……

当波浪拍到岸上时，会发生很有趣的事。

当海水的深度不足两个**海浪**之间距离（波长）的一半的时候，波浪底部的水分子之间的**摩擦力**会导致波浪前进的速度减缓。这就意味着，海面上波浪的移动速度，比海底波浪的移动速度要快，所以波浪就像你跑步被绊倒一样，它们也会被绊脚。你在跑步时脚突然被挡下来，但身体还在以跑步时候的速度往前运动，结果就是你会踉跄甚至摔倒。

随着水的深度**越来越浅**，波浪最终会抵达终点。最上面的波浪比海底波浪运动速度快很多，所以上面的波浪控制不住往前冲，压下来，溅得到处都是。我们称这个过程为“**破碎**”。相当于你被绊倒时，不小心就摔了个狗啃泥一样……

飘来飘去……

防晒霜擦好了，可以尽情拥抱清爽的海水，太惬意了！如果面朝上仰躺着，放松身体，那么感觉就更棒了。把原本应该由双脚承受的重量全部交给大海，完全让自己漂浮在海面上，无忧无虑。现在你的身心彻底放松下来了，咱们来想想这些严肃的问题：你吃早餐冲麦片时，麦片会浮起来；把足球扔进水里，足球也会浮在水上，这是由于这些物体重量轻、密度比水小，所以它们会浮起来，可是……你身体明明很结实，体重的60%都是水，另外，还有很多各种各样的物质，不少物质的密度比水的密度要大。为什么人也能这么轻松地浮起来？

答案就在海水里——准确来说，是在**海盐**里。盐溶化在水里，增加了水的密度，所以相比在淡水里（如在湖里或者游泳池里），人和其他物体在盐水里可以更轻而易举地浮起来。下次去海边度假或者去游泳池玩的时候，可以试着感受和对比一下，在哪里更容易**浮起来**。

有一个地方，你能体会到的差异比在地球上其他任何地方都要强烈，那就是死海。严格来说它其实不算是海，而是坐落在中东地区约旦和以色列边境交界的一个**盐水湖**。

在大多数地方，海水盐度大约为3.5%，即每升海水中含有3.5克盐，而死海的海水盐度比这要**高得多**。换句话说，就是海水的味道要咸得多。死海的盐度可以高达34%（真的非常咸）。

死海的**海水密度**非常高，轻轻松松就能把物体**浮起来**。所以，你可以非常容易地躺在海水上读书看报。同理，你也没办法在死海里站起来，不管你怎么努力，脚就是没办法着地，更别提在死海里**潜水**了。不过这其实也是好事，毕竟海水这么咸，要是不小心喝进去一口，体内器官则很可能会被化学物质灼伤，甚至导致**中毒**。死海里一条鱼也没有！毕竟“死海”这个名字，可不是随便起的……

请大家带上沙桶和沙铲！

在海滩上还有什么好玩的呢？当然是堆沙堡了！这可不是普通的沙堡——而是你在海滩上见过的最**辉煌**、最**壮观**的堡垒！

拎起小桶，装满沙子，再倒出来，**开工喽**！

等等，这是在做什么？

听起来好像不是在堆沙堡，更像是在堆沙丘？

再试一次，这次更靠近海水一些，那里的沙子比较湿。装一桶沙子，然后再**倒出来**。

这下你明白了吧！咱们的**沙堡建造工程**已经成功地迈出第一步了。

这有什么区别呢？为什么湿润的沙子比干燥的沙子更容易堆起堡垒呢？

答案就在**水分子**里。

你需要使用带有一定含水量的沙子，才能建出完美的沙堡。研究沙堡的科学家长期以来一直认为水和沙子最理想的比例是1∶8，即1桶水兑8桶沙子。可是巴黎的物理统计学实验室（Laboratory of Physical Statistics）一次近期的研究却得出一个**惊人的结论**：最理想的水和沙的比例，接近1∶99，即1桶水兑99桶沙子。

对，我说我是沙堡科学家，有什么问题吗？

沙粒与沙粒之间的水分子通过强大的正负极吸引力彼此紧紧相连，在沙粒间形成**小小的桥梁**。

还记得吗？水是有极性的，所以水分子喜欢相互连起来。一个水分子的带正电荷的氢原子连着另一个水分子的带负电荷的氧原子，慢慢地紧紧相连。正是由于水的这个特性，才有了这些神奇的事情：像肥皂能把东西洗干净啦，液体会出现表面张力的现象啦，物体会变湿啦，等等。现在，水能创造的奇迹又多了一个：修建了不起的沙堡！

那我们是不是应该多加点儿水？水越多，正负电荷之间的引力越强，沙堡就越坚固，是这样吗？

不是的！要建造一座坚固的沙堡，秘密在于沙子得保持湿润状态，而不是**湿漉漉**的状态。每一颗沙子之间那薄薄的一层水让城堡变得牢固，但如果水加多了，那么水分子在沙粒之间像桥梁一样的结构就会遭到破坏，水分子会相互黏起来，形成**水滴**。水滴从沙粒上流下来，堆好的沙堡就又被毁掉了。

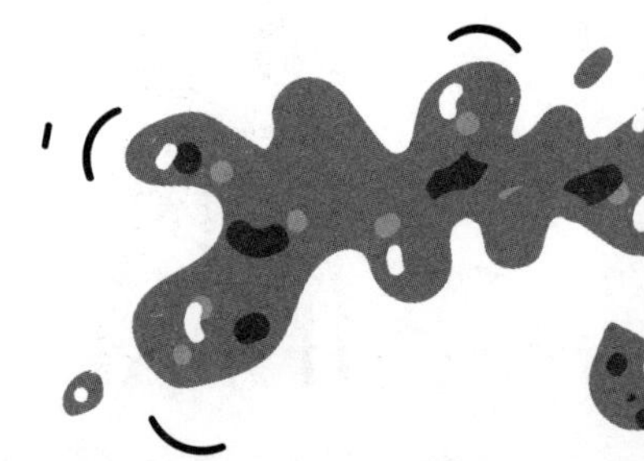

完美配方已经到手，可以动手建一座完美的沙堡了！啊，等等，建沙堡可是相当耗时的工程，而海浪一冲上来，就把沙堡冲散了。

瞧瞧，水太多了吧。

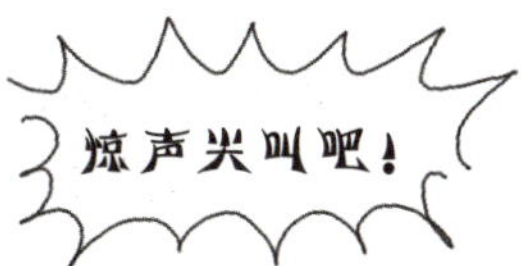

手忙脚乱忙地完这一通，你该吃块雪糕犒劳犒劳自己了。

来一份三球**冰激凌**吧，简直是人间美味！一口咬下去，好吃！

哎呀！脑袋里突然莫名其妙地出现一种**很强烈**的**刺痛感**，这是怎么回事？

再咬一口，试试看能不能缓和一下。这是**世界上**最好吃的雪糕了，是不是？啊，又来了，**头好痛**！这到底怎么回事？似乎有一股神秘的力量在阻止你吃雪糕。

其实这是发生了**“大脑冻结”。**

搞科研的专家们把这种现象叫作“翼腭神经节疼痛”，通常人们叫它“大脑冻结”。

口腔和喉咙有大量血管，有的直接与大脑相连。当你快速吞下冰冷的东西时，比如好吃的雪糕，

会导致口腔上部的温度骤降，这就会让大脑感觉相当不舒服。“大脑冻结”是身体在告诉你，要慢慢吃，你得留出时间让口腔里的血管慢慢适应雪糕的温度才行。

基本上，很多巨大的改变都被接收痛感的**神经细胞**解读成疼痛感，然后给大脑发出信息，告诉它，你的嘴巴里有什么不对劲的事情发生了，**赶紧制止！**

传达这个信息的神经细胞，正是当你受到一些突然刺激后给大脑传达面部疼痛信息的神经细胞，接着，大脑把这种信息解读成额头痛。这对于你的额头来说很不公平，因为它并没有发生什么事，按摩一下额头，或者暖一下，或者用力皱眉，不管你做什么，都无济于事。

更有趣的是，你知不知道，大脑跟你身体的其他部位是不一样的，大脑本身感觉不到疼痛。因为它自己没有痛感接收器，所以头痛都不是在大脑“内部”发生的。不过，说这些对缓解你的头痛也没什么帮助，抱歉。

咱们最好先休息一下，试试把舌头往上颚压。舌头上也有大量血管，流着暖乎乎的血液，这个动作能帮你暖和暖和上颚。你还可以试试喝一口温水。最后给你一个温馨的小提醒，下次吃雪糕的时候，不要吃得太急、太快了。

烟花大会

我们的一天接近尾声，这一天是不是很奇幻呢？我们谈了一整天发生在自己身边的**神奇的**但是无形的事情，下面来谈谈看得到的东西吧！

我们来用红色的、黄色的、绿色的、橙色的、蓝色的光线照亮夜空，给这个**完美的假期画上圆满的句号**吧！没有什么能比得上五彩缤纷的

烟花大会！

烟花是中国古代一位叫李畋[tián]的僧人发明的，据说一开始是为了驱逐瘴气。那时候，烟花的制作非常简单，把一些**易燃**的化学物质混在一起，遇火就能**引爆**。烟花的上面还有一条引线，它的作用是延迟引爆的时间，让你有时间跑到安全的地方去。

李师傅，我们要不要换个安全一点的玩？

混合的化学物质叫“火药”，其实它的成分就是硫黄、碳和硝酸钾。这些成分的反应速度相当快。

烟花的引线是**延迟爆炸**用的。引线就是包在**火药芯**上的纤维线，很容易燃烧。点着引线的一端，火沿着引线一直往火药的方向烧过去，最后到达**弹药层**。

当火沿着引线烧到弹药层时，**魔法**就在一瞬间发生。弹药层里的火药燃烧产生气体和热量，热量导致气体**极速膨胀**。

为什么叫“弹药层”？

因为当你点燃它时，它就会像弹药一样爆炸！

火药被点燃时，碳、硝酸钾和硫黄发生化学作用，生成新的化学物质。这种化学反应非常特别，我们叫它“**放热反应**”。反应过程中释放出来的热量，比让它发生反应所需的热量还要高。只要给一点点小火花，它就能让参与反应的化学物质发生**爆炸**。

在这个化学反应过程中产生的热量会带来两个效果。第一，它能加快接下来的化学反应速度。热量让火药分子变得兴奋，运动速度加快，相互间的撞击更猛烈，反应速度也就跟着加快了。

第二，火药在反应过程中产生的气体因为高温而迅速**膨胀**，而烟花就这么被塞在一个坚固又窄小的筒里，气体只能往单一方向膨胀——向下膨胀——将烟花从**相反**方向逼了出去，*射向天空*。

第一个烟花在天空**绽放**的时候，弹药筒里的第二根引线继续燃烧。这又是一个延时器，保证下一个爆炸（下一朵巨大的色彩鲜艳的烟花的绽放）能安全顺利地进行，而不是在你脑壳上开花。

当燃烧的引线烧到第二层火药时，又一个弹药球被点燃，极速膨胀的炽热气体又把这一层的火药推上天，绽放出五颜六色的烟火。

但火药在爆炸时，自身并不带任何颜色，不然，战争电影看起来肯定相当有意思。烟花之所以会有颜色，是因为人们往弹药里面添加了各种叫“金属盐”的化学物质。

还记得我们的老朋友电子吗？那群一大早弄乱你的发型，在烤面包机里把其他电子撞得活跃起来的电子，你还记得不？现在，电子给你赔罪来了。

你应该还记得，当分子被加入额外能量后，电子就会吸收掉一部分能量，兴奋地跳出自己在原子核里原本的轨道，然后它们会很紧张（毕竟它们不该待在那地方的），要尽快把多余的能量**释放出来**，这样才能重新回到原子核里自己原本的安全轨道上。

从烟花筒里冲出来的能量，以**可见光**的形式表现出来，最神奇的是，因为添加的化学物质不同，这些可见光带上了不同的颜色。这些颜色几乎可以说是这些化学物质的专属标签了。

下次当你看到夜空中绽放出五颜六色的烟花或者当其他人都在大声地赞叹和欢呼时，你就知道，其实是咱们的电子小伙伴们在表演这场神奇的天空舞台秀。

对于早上弄乱头发的电子，现在你可以**原谅**它们了吧。

我能睡上
一个月……

啊……真是筋疲力尽。

四处奔波的一天下来，你一定累得想**好好睡一觉**。咱们又回到今天刚开始的那个地方——**床**。你将经历不同的睡眠阶段，慢慢入睡，腿微微地抽搐一下，然后渐渐陷入深度睡眠中，在漫漫长夜里梦见电子和长颈鹿……

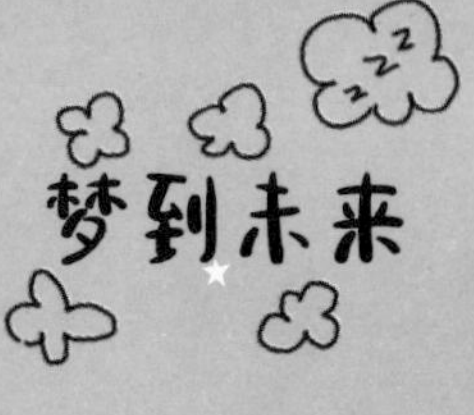

梦到未来

打个哈欠，伸个懒腰。这一觉睡得很舒服吧？

感觉从没睡得这么畅快过。

仿佛睡了整整一百年。你转个身，拿起手机看看现在几点了……什么？！我没看错日期吧？！没错！你的确是睡了**一百年！**

现在是**2120**年，或者**2121**年。具体取决于你是在哪一年读到这本书的。

（好吧，你不可能真的**睡上一百年**。没有人可以。我们只是**假设**你睡了这么久，然后你在同一张床上醒来，在同一个房间里，看见同样的东西，只不过……现在是**100**年之后……）

今天会有什么不一样呢？

未来的浴室

开始新一天——先痛快地洗个澡吧！毕竟你攒了一百年的汗和一百年的眼屎，还不好好地洗干净？但现在的淋浴间可不是一般的淋浴间——这是一个超级环保节能的淋浴间，水流进下水道后，被循环利用，用过的水经过处理又回到淋浴头中供你洗澡使用。

是的，我知道你是怎么想的！这听起来有点恶心。你刚用水冲洗了脏兮兮、油腻腻的身体，更别提你刚刚还冲洗了积了一个世纪臭气熏天的食物残渣的嘴巴，这些用过的水又马上从淋浴头浇下来，听起来真是让人难以接受啊。

我可不想这样，谢谢！

先别急着关水龙头！虽然你有点反感，但你知道吗，在国际空间站里工作的宇航员也是这样循环用水的哦。

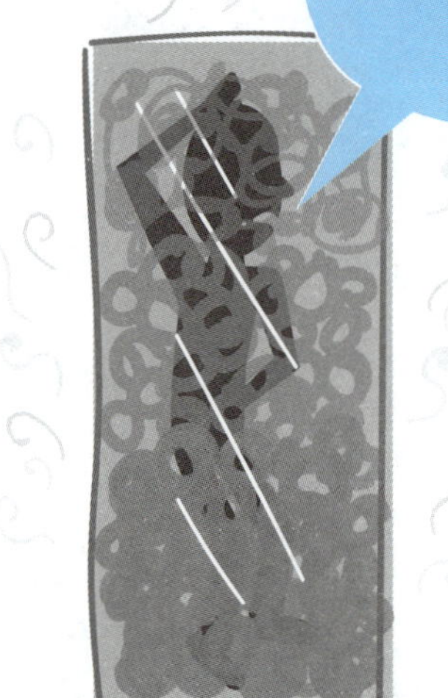

跟你一样，宇航员也不喜欢用自己刚洗过屁屁的水来洗脸，但在太空里，节约淡水是非常重要的事，因为太空里根本没有淡水资源，除非用火箭给他们送过去。

所以在国际空间站里的排水管，跟你曾经使用的排水管是完全不一样的。他们的排水管里装配着过滤器，能把所有混在水里恶心的东西都过滤掉。这样，从淋浴头里流下来的水，是绝对干净和清新的。这种淋浴设备和旧式淋浴设备比起来，耗水量只有之前的1/10，而且只需要消耗相当于旧设备1/5的能源，就能维持**热水的温度**。

拿宇航员的生活方式和我们的日常生活方式比，会不会太极端了？毕竟我们随时拧开水龙头都有新鲜的自来水，然而，一百年后，地球上的人口数量将会从现在的**70亿**人增加到**110亿**人。现在我们觉得取之不尽，用之不竭的资源（比如，干净的淡水），到那时候就会变得非常稀有，所以我们得想想法子，怎么才能更高效率地利用现有的资源。

人口数量的增加会改变很多我们现在觉得理所当然的事。例如……

吃早餐

睡了一百年，饿了没？找点什么东西吃吧。

来几根香肠和几片培根！好吃！但是，包装盒上画的是什么东西？啊！看起来像是虫子呀！是谁把虫子的图片印在早餐盒上的？**太讨厌了**！

一百年后，当人口增长到110亿时，我们吃的食物种类也会发生**大大的改变**。我们需要从食物中吸取的其中一种重要成分是蛋白质，它是我们身体肌肉生长必需的营养来源。通常，我们从肉类、鱼类等食物中吸收**蛋白质**，但是……

每产生一千克肉，牛和猪不仅需要消耗大量的水和饲料，也需要占用大片的土地。与此同时，它们还排放大量会造成全球气候变暖的气体（对，它们会放屁）。相比养殖传统动物，养殖昆虫对能源的消耗则少得多，对环境造成的伤害也小得多，只不过我们需要一点**时间**去适应。

昆虫学家（entomologist）估计，到那时，将会有10乘以100万的三次方（10后面跟着18个0）只昆虫在地球上飞呀，爬呀，嗡嗡叫。千百年来，昆虫其实一直是南美洲、非洲和亚洲地区人们的日常饮食来源。

昆虫是非常棒的**蛋白质**来源。通过养殖昆虫，大片土地可以重新用来植树造林，帮助吸收人类开车产生的过多的二氧化碳。

把昆虫作为食物真的是好处多多呢！来一个昆虫汉堡不？

好吧，我给你一百年的时间慢慢适应这种饮食。

除此之外，到了2120年，我们还能有什么其他方式可以喂饱全人类？一些科学家认为，未来的农业应该在海洋和湖泊中发展。在水面漂浮的农场与陆地相连，可以用来种植农作物。这些水上农场会**随着水波上下浮动**。农场中产生的一切有机废物都可以用来喂养水下的鱼。水上漂浮农场的设计者们估算，一片大约长350米，宽200米，或是大约3个足球场大小的水上农场，每年能生产出将近**8吨蔬菜**和**2吨鱼肉**。

实验室里的肉

到那时，水上农场就成了素食者和鱼肉爱好者的福音。早餐你已经**吃了一大碗虫子**，再吃点真正的肉怎么样？我们还能吃到好吃的牛肉汉堡或者炸鸡块吗？

当然没问题！不用担心，你最爱的食物不会断货，你甚至都不用从活生生的**牲畜**上取肉了。因为你能吃到实验室里生产出来的肉。

~NO

2013年，荷兰马斯特里赫特市一个实验室中的科学家们，使用世界上第一块实验室里生产出来的牛肉，烹饪出了**汉堡肉饼**。他们从活生生的动物身上提取肌肉细胞，把细胞放进一个混合容器里，容器装有一种叫“**干细胞**”的特殊细胞，它们能分化成身体中的各种细胞。干细胞的功能有点像**乐高积木**。当然了，科学家们还得给这些细胞提供营养和激素，帮助干细胞生长和繁殖。经过短短数周的时间，它们便自我复制并生长成肌肉组织。据说，第一片人造汉堡肉的制造费用高达**220000**英镑！

到2120年，物价会大幅下降，每个人都吃得起肉。有的人甚至还能在家里自己动手培养肉了呢！

你或许也得花点时间去接受实验室里生产出来的肉，不过这可是一个绝妙的方法。我来告诉你为什么。我们之前说过，你得留出大片土地来**养殖动物**。在2018年，地球上有多达80%的土地是用来养殖动物的，与此相比，在实验室里生产肉，则只需要1%的土地面积！那我们不就有**更多的土地**去种植农作物了吗？

另外，在实验室里生产肉，不会产生那么多导致全球变暖的气体。毕竟，在实验室里培养的肉是不会**放屁**的。

早餐和午餐的问题解决了，接下来，我们该怎么去**学校**呢？还是坐**车**吗？对，那时地球上的人（稍后详细介绍）还是需要车的，但那时候的车跟2020年的车可大不一样了。首先，我们**根本不需要驾驶**。人工智能（Artificial Intelligence，AI）早就代替人来驾驶汽车了。你只需要坐进车里，**告诉它你要去哪儿**，就可以不用管了，把椅子转过去，和车里的其他人放心地聊天吧。

其次，到那个时候，石化能源已经枯竭了，所有**汽车**都是电动的，不会产生有害气体。连**发电厂**也不再需要石化能源供给了。

如今，发电站的发电原理跟太阳释放能量的原理一样——**核聚变**。

你应该对**核电站**有所耳闻了。2020年，地球上已经有了核电站；不过，2120年的核电站跟一百年前的核电站区别很大，也更加安全。

2020年，核电站用的燃料是非常重的铀原子（在元素周期表的最底部你能找到它），所以跟其他原子比起来，它的质量很重。

在发电站里的反应堆中心，我们把一串铀原子的中子（原子中心有重量的颗粒）点燃，将它们粉碎成小小的原子，释放出大量的热能和分散的中子。这些分散的中子到处乱撞，撞到附近的铀原子上，又把它们**撞粉碎**。如此循环。我们将这个过程称为“链式反应”。

就像你推倒了一张**多米诺骨牌**一样，虽然你只推倒了一张骨牌，但它会推倒第二张，而第二个又推倒第三张，一串多米诺骨牌就这么接连倒下去。如果这些倒下的多米诺骨牌中的每一张都能**释放出大量热量**，那么你都能把满满一缸水煮沸，用**蒸汽**推动涡轮机发电了。

这叫“**核裂变**”，是质量较重的原子核分裂成几个质量较小的原子核的过程，用来**发电**是最好不过了，因为你只需要投入极少量的**能量**（最开始的几个中子），就能生产出大量的能量。

要产生与1克铀等量的能量，你得燃烧200万克到300万克煤炭，那可是一个大数字呀！

核电还有一个很好的优点，就是生产过程中不需要烧东西，除了产生水蒸气外，它不会产生任何导致气候变暖的气体。

既然核电那么厉害，为什么我们不一直这么做呢？这听起来简直完美！

话虽这么说，但也有一些问题。

最容易分解的东西，基本都是很大的原子，如铀原子，而且因为体积大，它们状态也很不稳定，所以会一直想方设法让自己**变得小一点**，更稳定一点，而达到目的的方式，就是把一些粒子从原子核里甩出去。

就像你坐在一张堆满了座垫的椅子上，坐上去后你发现这样其实并不舒服，所以你抽出来一个座垫扔出去，再坐下来看看，感觉还是不对，于是你又从屁股下面多抽一个座垫出来，然后**扔出去**。就这样不断地往外扔，直到你终于觉得舒服为止。

跟这个有点相似，有某些类别的**铀原子**就是因为觉得不舒服，所以才把自己的粒子往外甩，直到**原子核**稳定下来为止。铀原子扔出来的东西，叫“放射物”，是对人类**异常危险**的东西。放射物能**穿透**我们的皮肤，**破坏**我们细胞里的DNA，让我们变得像长期过度暴晒之后那样，产生严重的健康问题。铀原子持续甩出这些可怕的粒子，需要甩上数千年才会停下来。

所以就算铀再有用，它也是**相当危险**的，而且会在非常长的一段**时间**内保持相当危险的状态。我们必须采取一切可能的措施来保证人类的**安全**，比如，把铀埋进**水泥**里，但尽管这样，我们还要防备一些不可控的因素，如发生**地震**。这有可能会让**水泥裂开**，造成**核辐射泄漏**，使一个地区在长达好几个世纪的时间内都不适合人类居住。

是的，这个办法还是有些问题的。

那，到了2120年，会发生哪些改变呢？

我们不再利用核裂变发电了。现在，我们都在用！

核聚变是把较轻的原子核**聚合成**较重的原子核，并释放出**巨大能量**的一种化学反应。在2020年这个想法还未获得证实。谢天谢地，到了2120年，科学家们已经把这个伟大的构想变成现实了（**但愿如此**）！

聚变比裂变好，是因为聚变不是要把大的、不稳定的、有辐射性、危险的东西进行分解，而是把小的、稳定的、无辐射性、安全的东西**拥挤到一块儿**。所有元素里体积最小的元素是氢元素，它在浩瀚的大海中，数量多得很。氢元素与危险的铀元素正好占元素周期表的一头一尾。

终于找到安全又清洁的能源了！

要是能早点实现就好了……

太迟了！

不幸的是，当科学家们懂得利用核聚变时，为时已晚。人类世世代代**燃烧化石燃料**获取能量，已经给地球的气候造成了**严重影响**。

燃烧化石燃料，燃烧那些被深深埋在地底的远古鱼类遗骸，会产生阻止**太阳热能**逸散回太空的气体。另一种会阻止太阳能量反射的气体是**甲烷**，我们养殖的牛和猪放屁时排出的废气里，就有甲烷。

这些气体飘到天上，在地球大气层里形成一道**屏障**，就像温室的玻璃。太阳的热量抵达地面后，其中很大一部分本应该反射回太空去的，但现在，这些气体把太阳能量锁在地球**大气层**内，导致地球**温度升高**。

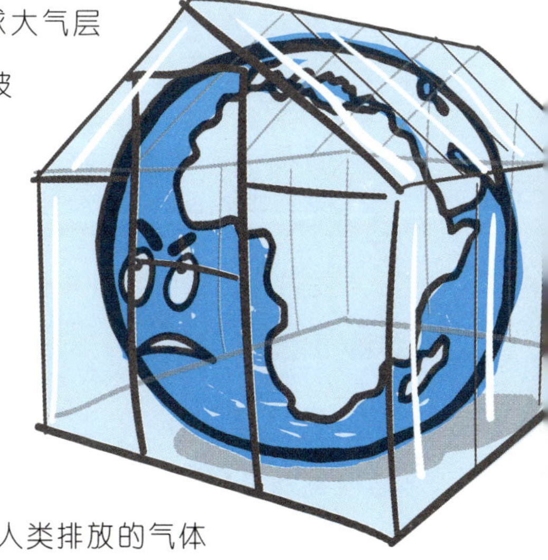

在过去大约150年的时间，人类排放的气体量达到有史以来的最大值，使温室效应愈发严重。

金星就是长期温室效应失控的可怕例子，温室气体让金星的地表温度达到460℃，让它成为太阳系里最**炙热**的行星。

虽然温室效应在地球上还不至于发展到如此极端，但我们可以预见到，未来100年，若温度持续升高，则地球会发生很多变化。

万岁享受悠长夏日！

这是**好事**也是**坏事**。地球上很多地方将会变得更热，但这并不代表着人们可以享受阳光灿烂的假日。地球的负担更重了，要给全人类提供充足的食物和淡水，此时的土地面积却更少了，很多**农作物**不适应高温天气而欠收，粮食供应也就成了严峻的问题。

海洋更加辽阔！

温暖的气候导致两极冰山融化，**海平面上升**。这就意味着，很多地方在2020年还是旅游胜地，但到了2120年，已经被海水淹没了。以**阳光海滩闻名**的美国迈阿密，以及浪漫的意大利水城威尼斯，在一百年内，很有可能会被海水淹没。

沙漠更加广袤！

温度上升同样还会导致**沙漠化扩张**。曾经肥沃的农耕之地，到了2120年成了一口巨大的沙碗，无法栽种**农作物**，也无法放牧。

温度的升高使**大气层**积聚过多的**能量**，风变得强劲，风暴频繁发生，整体上提高了**极端天气**的发生概率。

难怪到2120年，人类将眼光投放到更遥远的地方去寻找安居乐业之所……

火星上的生活

在2120年，人类幸福地在**火星**上安居乐业。在地球和火星之间往返数次后，人类掌握了经验和智慧，把**机器人**送上火星，协助人类开拓居住地。

那些**机器人**被送上火星后，开辟出一片适合人类生活的**聚居地**。当它们把房子建好，把安全的**发电站**和食物供应设施都准备好后，人类便启程前往火星开始新生活。一开始，人类只是以游客的身份前往火星参观游玩，随后**采矿队**和**探险队**来了。这时，人类就得开始为这些需要长期待在火星上的人修建住房、医院、休闲娱乐设

施，还得为他们的孩子修建学校。随着这些建筑越来越多，火星也变得越来越漂亮。现在就只等着你过来了！

当然了，那里没有**海滩**或**游泳池**，也没有多少水，但每天晚上，机器人都会为你准备烟火盛会。蓝的、绿的、黄的烟火照亮夜空，将一片褐红色的土地上空映衬得格外好看。

从**地球**到**火星**，单程得花一年时间，但这段旅途的景观是如此**神奇而美妙**，尤其是刚启程和即将抵达，往窗外看去，看向那颗与我们渐行渐远的蓝色的美丽星球时。

随着海平面上升，地球看起来有点不一样了。地球的两极不再是雪白的，而是斑斑点点散布着沙漠。

但地球美丽依旧。

而且用不了多久，你便会抵达一个未知的星球，开始全新的人生探索。

在火星上，每天的日常生活是怎样的呢?

到2120年，你睡醒了，自己去探索吧。

多睡几觉就到了……

3:00

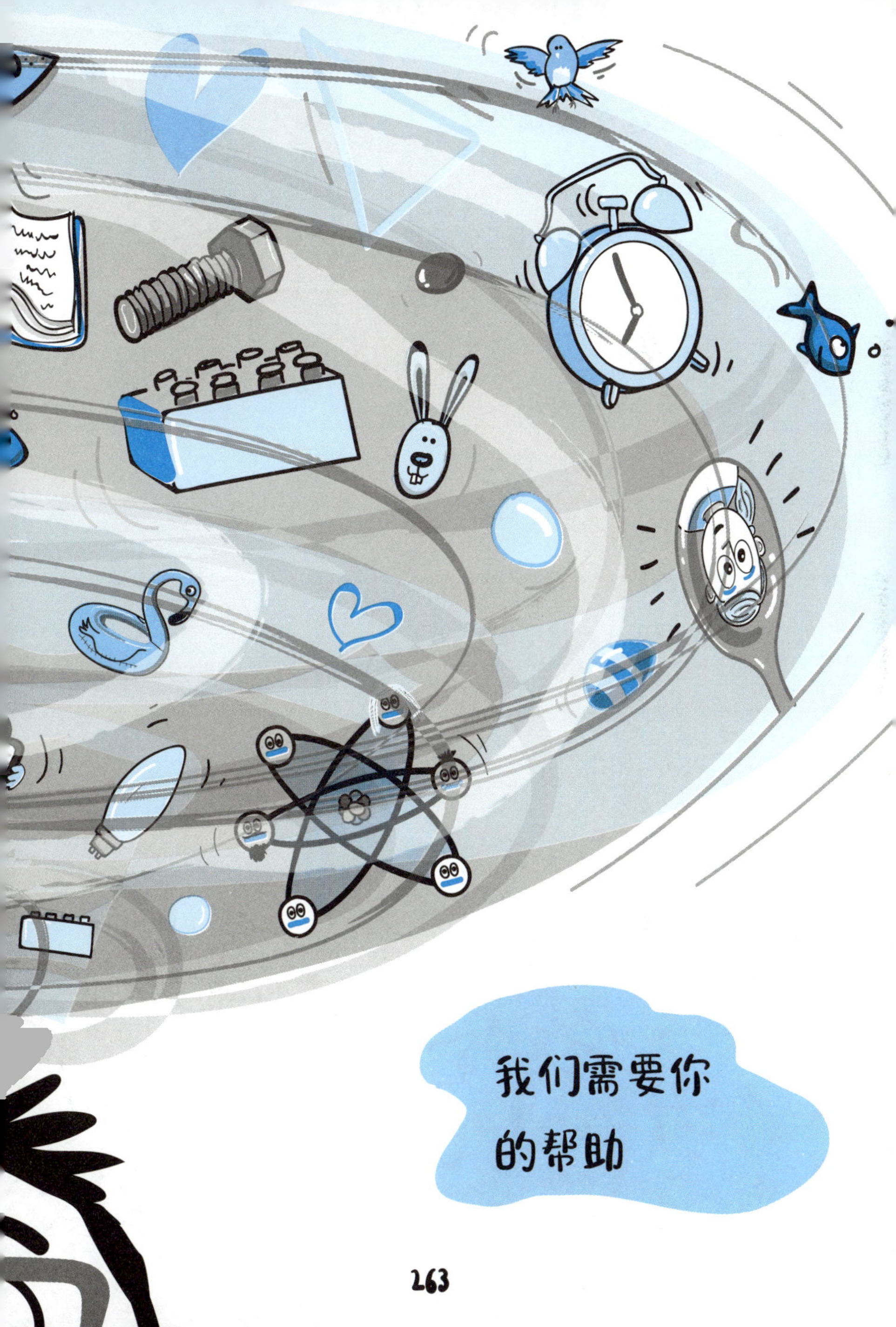
我们需要你
的帮助

还记得这个表情吗？

在上一章节中，我们读到**核裂变**、**火星之旅**、实验室**肉**等内容的时候，一直都是用的这个表情。现在轮到科学家们换上这个表情了。

这才是真正的意义所在吧！从一开始产生疑惑，希望把谜题揭开，到**大胆提问**，**不断假设**，求证出**答案**。一百年后，我们能坐在火星上**赏烟花**，感觉是幸运的。

人类不断地提出各种各样的新问题。

还记得在这本书一开始的时候我说过的话吗？如果你对书里的哪一部分不感兴趣，那么就直接**跳过去**吧，多看些你感兴趣的内容。

我之所以这么说，是因为有好几个原因。

首先，大人们都这么做。下次，当你看到爸爸拿起报纸直接翻到体育版时，你可以给他一个了解的表情，用**眼神**告诉他：“我知道你在看什么。”

其次，当说到科学和**好奇心**，我们并不认为有谁能对一切都感兴趣。这是人类一个有趣的地方。术业有专攻，我们喜欢钻研自己真正喜欢的东西，发掘自己对某样事物的某一小方面的**热情**，把这份热情转化成自己生命的一部分。

所以，我们现在就是把各种**主题**的事物统统放你眼前，你从中能找到真正喜欢钻研的东西，直到你说："啊！这就是我喜欢的东西！"

所以，如果你对远古鱼类遗骸变成燃料，让汽车起动感兴趣，那你有可能接着会对引擎感兴趣，知道吗？将来你可能会成为一名**工程师**呢。

当然，工程师分很多种类型……

如果你想知道机翼是如何运作的，你可能会成为一名航空工程师。

如果你对加速计是如何让**虚拟现实设备**工作的更感兴趣，你会朝一名电子工程师的方向发展。

当然，你不只有当工程师一个选择，如果你对电子、波、电磁波谱如何为人类服务感兴趣，那么你会成为一名物理学家。

如果你喜欢研究**分子**，那么你可能会成为一名化学家。

如果你喜欢问一些关于**大脑**如何运作的问题，那么你可能成为神经学家。

如果你对人体、激素、耳鸣、睡眠，以及一切关于人体古怪、奇妙的东西更感兴趣，那么你可能会成为一位医生、解剖学家，或者生理学家。

如果你对医药方面的东西感兴趣，尤其是关于食物以及人体如何消化吸收食物，那么你可能成为一位营养师。

如果吸引你的是**长颈鹿**呢？那你就是动物学家了。

工作的种类各种各样，从事各行各业的人专长也各不相同**（比我们上面列举的多得多）**，而不管是从事哪个行业的人，他们的表情都是这样（如下图）。

不管在哪，人们都在问各种问题，未知的东西还有太多太多，有待探索的事物还有很多很多，所以，看看自己最喜欢的领域是什么，然后把你想问的所有问题都列出来。等到把这

些问题都解决之后，我敢保证，你肯定又会有更多的问题。

如果，万一你对一切事物都感兴趣呢？

如果，你没有特别偏好哪一个方面，而是对所有事物都感兴趣呢？

如果你的好奇心非常广泛，什么都想知道，什么都想学。

那么说不定你会成为**人类历史上最伟大的科学家**，运用所有的知识，去解开

世间万物最深奥的问题……

怎样才能建造出最壮观辉煌的沙堡？

祝你好运！

关于作者

作者简介：

达拉 · 奥 · 布莱恩（Dara O' Briain）拥有都柏林大学数学和物理学学位，是一名儿童科普图书作者和儿童科普传播领军人。他最大的爱好就是跟小朋友们在一起，带领孩子们去探索、去认知、去热爱这美妙的世界。

达拉是英国广播公司（BBC）里最广为人知的科学类节目主持人之一，代表作有《达拉 · 奥 · 布莱恩的科学俱乐部》（*Dara O'Briain' s Science Club*），天文纪录片《观星指南》（*Stargazing Live*），数学教育节目《数字学堂》（*School of Hard Sums*）以及机器人竞技节目《机器人大擂台》（*Robot Wars*）。其中，2011 年，达拉与粒子物理学教授布莱恩 · 考克斯（Brian Cox）合作主持了 BBC1 频道的太空秀之《观星指南》节目，堪称“科学二人天团”。 他用出色的语言表现力与互动力，几乎彻底改革了英国电视科普，分享他对科学的爱。

他生活在英国伦敦，有一台天文望远镜，以及一张让他引以为傲的跟登月宇航员巴兹 · 奥尔德林的合照。

科学小笔记